CB002819

LIDERANÇA INTELIGÉNTE CRIAR A PAIXÃO PELA MUDANÇA

CONJUNTURA ACTUAL EDITORA

Sede: Rua Fernandes Tomás, 76-80 – 3000-167 Coimbra

Delegação: Avenida Engenheiro Arantes e Oliveira, 11 - 3º C – 1900-221 Lisboa - Portugal

Tel.: (+351) 21 3190243

Fax: (+351) 21 3190249

www.actualeditora.com

A member of **BPR**

www.businesspublishersroundtable.com

Título original: *Intelligent Leadership, Creating Passion for Change*

Copyright: © Allan Hooper e John Potter, 2000

Primeira edição publicada em 2000, pela Random House Bunisenn Books

1.ª Edição: Actual Editora – Dezembro 2003

10.ª Edição: Actual Editora – Março 2017

Todos os direitos para a publicação desta obra em Portugal

reservados por Conjuntura Actual Editora, S.A.

Tradução: Carla Pedro

Revisão: Sofia Rodrigues Ramos

Copy Desk: Helena Soares

Design da capa e paginação: Silva! designers

Impressão: Papelmunde

Depósito legal: 326787/11

Nenhuma parte deste livro pode ser utilizada ou reproduzida, no todo ou em parte, por qualquer processo mecânico, fotográfico, electrónico ou de gravação, ou qualquer outra forma copiada, para uso público ou privado (além do uso legal como breve citação em artigos e críticas) sem autorização prévia, por escrito, da Actual Editora.

Este livro não pode ser emprestado, revendido, alugado ou estar disponível em qualquer forma comercial que não seja o seu actual formato sem o consentimento da editora.

Vendas especiais:

Os livros da Actual Editora estão disponíveis com desconto para compras de maior volume por parte de empresas, associações, universidades e outras entidades interessadas. Edições especiais, incluindo capa personalizada, podem ser-nos encomendadas. Para mais informações, entre em contacto connosco.

LIDERANÇA
INTELIGÉNTE
CRIAR
A PAIXÃO
PELA
MUDANÇA

ALAN HOOPER
& JOHN POTTER

ACTUAL EDITORA
www.actualeditora.com

Índice

Prefácio dos autores
para a edição portuguesa

Quando escrevemos o nosso primeiro livro em conjunto *The Business of Leadership* (*O Negócio da Liderança*), fomos avaliar a Liderança no seu contexto mais alargado para explorar a verdadeira essência do assunto. Tal como a maioria dos leitores, achávamos que quanto mais líamos sobre o tema, menos sabíamos sobre ele. O que queríamos fazer era destilar a essência do que significa a liderança, como pode ser melhorada e como é que as organizações podem desenvolver as suas gerações de líderes. Foi uma oportunidade de incluir numa publicação o nosso conhecimento sobre este tópico fascinante.

Em contraste, este livro, *Liderança Inteligente – Criar a Paixão pela Mudança*, tem sido uma viagem de descoberta. Esta viagem segue a perpétua relação entre a Liderança e a Mudança. É uma relação que tem feito parte da motivação humana durante séculos, mas provavelmente hoje existe mais do que nunca, uma vez que o ritmo da mudança é ao mesmo tempo contínuo e excitante. O que nos tem fascinado é descobrir por que é que alguns líderes, nas suas organizações, são mais eficazes a gerir a mudança do que outros. Porque é que, em circunstâncias idênticas, alguém consegue prosperar no meio do caos e da incerteza e outros se atrapalham? Gradualmente, este fascínio levou-nos a desenvolver uma metodologia de investigação que explora este fenómeno através de entrevistas a 25 líderes que têm sido 'Líderes da Mudança' bem sucedidos. Esta é a base deste livro. Entrevistámos líderes que estão em grandes organizações multinacionais e em pequenos negócios, desde o sector público ao privado. Destas entrevistas, surgiram dois pontos-chave: todos os líderes enfrentaram o desafio que tinham pela frente com inteligência; e todos eles tinham uma paixão pela mudança. Daí o título deste livro.

A filosofia e os detalhes do livro são explicados no Capítulo I. Nas suas páginas encontrará muitos modelos, *case studies* e ideias que lhe permitirão ter uma melhor compreensão sobre as subtilezas da intrigante relação que existe entre Liderança e Mudança. Devido à mudança inerente à expansão da Europa e devido também à globalização das ideias, este é um livro particularmente relevante para os leitores portugueses, sejam eles 'estudantes de liderança' do sector privado ou público, ou estudantes de mestrado ou de licenciatura. A velocidade e eficiência das comunicações fazem com que os dias de hoje sejam uma era particularmente emocionante. Uma ideia sonhada numa parte do mundo pode ser traduzida e utilizada para resolver um problema numa outra parte do planeta, com uma velocidade nunca antes vista. Este livro pretende que todos beneficiem da nossa investigação sobre como os líderes podem ser melhores a gerir a mudança e como podem tirar o melhor proveito de quem lideram.

Alan Hooper & John Potter, Novembro 2003

Prefácio

Dantes, gerir uma organização era uma tarefa semelhante a conduzir uma orquestra sinfónica. Actualmente, penso que se assemelha mais a liderar um grupo de jazz. Existe mais improvisação. Alguém escreveu um dia que o som da surpresa é jazz, e se há algo pelo qual nós precisamos de cultivar o gosto neste mundo é a surpresa, o inesperado, o inimaginável. No fundo, precisamos de adquirir um gosto pela mudança. É precisamente isso que Alan Hooper e John Potter nos ajudam a fazer em *Liderança Inteligente*. O livro mostra com clareza que o melhor tipo de mudança que alguém pode aspirar levar a qualquer organização é a receptividade para a mudança. Explora um leque de assuntos relacionados que são extremamente importantes. Até onde arriscam os homens e mulheres vulgares? Que motivações secretas os travam ou incentivam? Mais do que analisar as forças internas e externas da própria mudança, Alan e John produzem um respeitável trabalho de análise dos assuntos humanos relacionados com a mudança que são frequentemente negligenciados – os aspectos emocionais e psicológicos.

Devido à nossa economia global, grandes mudanças têm afectado o mundo dos negócios de forma mais rápida do que outras famílias de organizações. Um líder empresarial bem sucedido é como um dos primeiros pioneiros da fronteira americana, acordando todas as manhãs preparado para desbravar novos terrenos e desafiar novas aventuras. Os mundos de Walt Whitman assaltam-nos o pensamento: 'Temos de suportar o peso do perigo, nós as vigorosas gerações enérgicas, tudo o resto de nós depende, Pioneiros!'. Criar um espírito de fronteira constitui um importante elemento para adquirirmos gosto pela mudança.

Com o passar dos anos, fui ficando cada vez mais convencido de que a boa liderança se baseia fundamentalmente num bom carácter. Este livro contempla-nos com um profundo discernimento sobre este aspecto a nível organizacional. Alan e John salientam que, muitas vezes, um claro abismo separa a visão da organização da sua cultura estabelecida, mas também sublinham que os bem sucedidos – os que podem esperar criar uma 'paixão pela mudança' – possuem valores fortes e consistentes a permear cada nível dessas organizações.

O Capítulo VII analisa a necessidade de nos mantermos estratégicos, de nos nortearmos firmemente pela nossa capacidade de compreensão enquanto nos movemos através do nevoeiro cerrado. Perante a incerteza constante, muitas pessoas em posições de autoridade respondem ou com uma atitude fatalista ou com uma abordagem rígida, controladora. 'Liderança Inteligente' implica pôr de lado o fatalismo e o controlo rígido, com o intuito de explorar as oportunidades criativas decorrentes de cada novo momento. Como sempre, o desafio é pôr a mudança ao serviço das pessoas, em vez de ter as pessoas como marionetas da mudança.

Tentar compreender e prever o futuro é uma característica essencialmente humana. O futuro é, para mim, uma palavra fantasista que abarca inúmeras noções.

Em primeiro lugar, envolve um exercício de imaginação que nos permite competir e tentar iludir os acontecimentos que se perspectivam. Em segundo lugar, a tentativa de moldar o que está para vir é uma invenção social que legitima o processo de planeamento estratégico. Não existe nenhuma outra forma de resistir à 'tirania de forças cegas' senão enfrentar as circunstâncias de frente – da forma como as experimentamos no presente – e extrapolar a forma como poderão manifestar-se. É a melhor forma de detectar um compromisso em relação a objectivos ou valores por parte de um líder ou de uma organização.

Os planos organizacionais de mudança destinam-se demasiadas vezes a satisfazer prioridades restritas e de curto prazo, sendo esquecidas as questões subjacentes que determinam a qualidade de todas as nossas vidas – questões como: Isto está certo? Será positivo para os nossos filhos? Será benéfico para o planeta? A 'Liderança Inteligente' tem em conta as obrigações societárias e institucionais no decurso do seu planeamento.

Ao longo de anos aconselhei executivos, funcionários públicos e outros sobre como liderar melhor, apresentando essas perspectivas como 'necessidade de liderar', por contraponto 'a simples gestão'. No entanto, talvez o conselho mais firme que tenha para dar aos líderes seja que se mantenham rápidos. Mais do que nunca, os líderes devem preparar-se para aquilo que não foi ainda imaginado, com vista a trazer ordem ao caos. Tendo testemunhado nos últimos anos os primeiros passos de uma revolução atrás de outra (a explosão da informação é apenas um dos exemplos), torna-se claro que a mudança é a única constante e que se manterá assim sabe-se lá durante quanto mais tempo.

Por último, uma vez que a mudança, como afirmou Maquiavel, não tem circunscrições eleitorais, a tarefa mais importante de todas para os líderes de hoje e de amanhã é criar esses mesmos círculos eleitorais, promovendo um ambiente que abrace a mudança inexorável como uma oportunidade. Nesse sentido, as organizações podem esperar ser o quarteto de jazz que ama o imprevisto e que não o terá de outra forma. Alan e John dizem que 'o divertimento é importante'. Eu acredito que Liderança Inteligente vai ajudar os líderes e aqueles que eles servem a divertirem-se, mesmo nestes tempos de turbulência.

Warren Bennis, Universidade da Califórnia do Sul

Agradecimentos

Escrever um livro envolve muitos heróis. O Centre for Leadership Studies da Universidade de Exeter, muito particularmente, forneceu-nos excelentes bases para a investigação levada a cabo na concretização deste livro.

Estamos em dívida para com todos os excelentes líderes que amavelmente nos permitiram entrevistá-los sobre as suas experiências, documentando-nos com material essencial de investigação. Há também os clientes com quem trabalhámos nos últimos 10 anos, nomeadamente ABIN, Barclays Bank, Eli Lilly, GKN Westland Helicopters, Lloyds Bank, Nationwide Building Society, NatWest Bank, Sony UK, South-West Water, Watts Blake Bearn e The Wrigley Company. O sector público também apoiou os nossos esforços no sentido de desvendar os segredos de uma liderança da mudança bem sucedida. Mais especificamente, o National Health Service, o Somerset County Council e vários conselhos municipais e distritais desempenharam um papel preponderante. Os Serviços do Exército também nos voltaram a acolher como visitantes, mesmo depois de termos decidido desertar em prol da consultadoria e do mundo universitário!

Qualquer lista de agradecimentos é inevitavelmente incompleta, mas gostaríamos de mencionar os seguintes: John Adair, Mair Barnes, Bob Baty, Meredith Belbin, Warren Bennis, Richard Benson, Goran Carstedt, Sir Paul Condon, Sir Peter Davis, Ekow Eshun, Tony Everett, Lino Formica, Arie de Geus, Charles Handy, Sir Stuart Hampson, Sir Geoffrey Holland, Richard Ide, Ken Keir, John Kotter, Graham Lawson, Leo McKee, Tim Melville-Ross, Jim Mowatt, Brand Pretorious, Gail Rebuck, John Roberts, Philip Sadler, Edgar Schein e Tony Stables.

Se bem que tenhamos tentado recordar-nos de todas as fontes a que recorremos, teremos quase de certeza esquecido algumas e pedimos as nossas desculpas por qualquer distracção a esse respeito. Mas na realidade temos mesmo desculpa – à medida que o tempo passa, as boas ideias muitas vezes fundem-se com o senso comum e é frequente esquecermos as suas origens.

Há ainda as pessoas tão dedicadas da Random House, como Simon Wilson, Clare Smith e, obviamente, Gail Rebuck, que foram os patrocinadores deste livro.

Por último, e ainda mais importante, agradecemos às nossas esposas Jan e Marjorie pelas suas ideias, paciência e compreensão enquanto escrevíamos este livro em conjunto. Sem o seu apoio, teríamos sentido que a vida era muito difícil.

Alan Hooper & John Potter, Janeiro 2002

Mudanças de cargos

As pessoas por nós entrevistadas ocupavam os cargos citados quando escrevemos o livro. Algumas assumiram outras posições quando o livro estava ainda na fase de produção. Pedimos desculpa por qualquer inconveniência que isto possa causar ao leitor – trata-se apenas de uma característica dos nossos tempos em rápida mudança.

Nota especial

Um dos temas que levamos muito a sério é o da rectidão política. A história da liderança está associada ao rótulo 'masculino, militar e ocidental' e esperamos que o leitor cedo se aperceba que este conceito está muito longe daquilo que entendemos por liderança. No texto, tentámos utilizar 'ela' ou 'ele' alternadamente, falando em termos de 'ela/ele' ou 'ele/ela'. Não há qualquer preconceito implícito. Este assunto torna-se extremamente relevante quando se utiliza linguagem militar. As unidades são muitas vezes referidas como 'célula de quatro homens'. No mundo moderno, pode acontecer tão frequentemente quanto 'célula de quatro mulheres' ou 'célula de quatro pessoas'. No entanto, para que nos ajustemos à linguagem comum que é entendida pela maioria, geralmente usamos o género masculino.

Não está subjacente qualquer tipo de preconceito e acreditamos convictamente que tanto mulheres como homens são igualmente capazes de criar processos surpreendentes de liderança eficiente nas suas organizações. Ficámos ainda mais convencidos disso no decurso das entrevistas, ao nos apercebermos do crescente número de mulheres com cargos de topo ao nível da gestão, mulheres bem sucedidas e ocupando cargos de liderança, tanto no sector público como no privado.

Capítulo I
ENTRADA

Neste capítulo vai:

→ chegar à conclusão de que a mudança é muitas vezes vista como uma ameaça, em vez de ser considerada um desafio, devido à forma como é gerida nas organizações

→ concluir que as pessoas podem aprender a gostar da mudança, só não gostam de ser mudadas

→ adquirir uma ideia sobre o futuro do trabalho

→ ver como a liderança se adapta ao padrão de mudança

→ começar a reflectir sobre o significado de ser 'líder em aprendizagem'

→ começar a pensar a liderança como um processo emocional que conduz à ideia de 'Liderança Inteligente'

→ começar a perceber que a liderança tem mais a ver com a persuasão e com o desbloquear do potencial humano do que com comando e controlo

→ adquirir uma visão global deste livro

Capítulo I
Porquê este livro?

Mudança. A própria palavra inspira uma tal variedade de respostas que se torna difícil saber por onde começar. A maioria das nossas organizações não se encontra apta para liderar e implementar a mudança – constatamos diariamente, nos países civilizados, os resultados desta incapacidade. O stress derivado do trabalho, as lutas políticas na sala da direcção, as batalhas infindáveis para manter e desenvolver bases individuais de poder e os problemas resultantes da insatisfação dos colaboradores são frequentes em muitas empresas e organizações do sector público. Em muitos empregos, os colaboradores de todos os níveis sentem que se encontram num ambiente social tóxico, onde arriscar e inovar é brincar com a morte, e quem dera que fosse apenas em termos de carreira! Consequentemente, as pessoas sentem-se asfixiadas e não apreciadas, e resignam-se a continuar a trabalhar das mesmas formas antigas e ineficazes.

Simultaneamente, receiam a mudança porque esta em geral implica a ameaça de perda. Perda dos colegas, das práticas de trabalho a que se está habituado, das rotinas, da previsibilidade e mesmo do emprego. 'Rightsizing', 'downsizing', 'outsourcing', 'rightsourcing' e tantas outras expressões de negócios do mundo moderno surgem ligadas à ideia de que as organizações parecem querer espremer os seus colaboradores até à última. A grande preocupação prende-se com o facto de as organizações, após terem explorado as capacidades dos seus colaboradores até à exaustão, decidirem dispensar esses mesmos indivíduos, muitas vezes na casa dos 40, para abrir alas à nova geração (normalmente licenciados), que geralmente é menos dispendiosa, vai trabalhar mais para financiar as suas primeiras hipotecas e compromissos familiares e vai contribuir com ideias e uma criatividade ilimitada em nome da 'progressão na carreira'.

Rosabeth Moss Kanter[1] chama a atenção para a incapacidade de muitas organizações lidarem com a mudança e o Quadro 1.1. aponta alguns dos erros mais frequentes. Compilámos o que Kanter chama de 'regras para resistir à mudança' e observámos que estas estão presentes em muitas situações na vida das organizações.

QUADRO 1.1 - O LADO NEGATIVO DA MUDANÇA

COMO AS ORGANIZAÇÕES FREQUENTEMENTE LIDAM MAL COM A MUDANÇA
(Com base nas observações de Rosabeth Moss Kanter e nas nossas próprias ilações)

Quantos destes exemplos são típicos na forma como a sua empresa lida com a mudança?
Assinale o quadrado à direita da frase correcta e some o resultado.

1 Olha-se para qualquer nova ideia vinda de baixo com suspeita – porque
é nova e porque vem de baixo. ☐

2 Insiste-se em que as pessoas que precisam de autorização para agir
tenham de passar primeiro por uma série de outros níveis de gestão
para obter as suas assinaturas. ☐

3 Pede-se aos departamentos ou indivíduos para desafiarem e criticarem
as propostas uns dos outros (Isso poupa o trabalho de decidir; apenas
tem de se escolher o sobrevivente). ☐

4 As críticas são feitas livremente e não há lugar a quaisquer elogios
(Isso mantém as pessoas no seu lugar). Dá-se-lhes a entender
que podem ser despedidas a qualquer momento. ☐

5 Trata-se a identificação dos problemas como um sinal de fracasso,
para desencorajar as pessoas de darem a conhecer que alguma
coisa na sua área não está a funcionar. ☐

6 Tudo é cuidadosamente controlado. Garante-se sistematicamente
que as pessoas enumerem tudo o que é passível de ser enumerado. ☐

7 As decisões para reorganizar ou mudar os planos de acção são
tomadas secretamente e as pessoas são informadas delas sem aviso
prévio. (Isso também mantém as pessoas no seu lugar). ☐

8 Os pedidos de informação têm de ser amplamente justificados, para
que haja a certeza de que não são dados de bandeja aos gestores.
(A informação não deve cair em mãos erradas). ☐

9 Atribui a gestores de baixo nível hierárquico, em nome da delegação
de funções e da participação, a responsabilidade de perceberem como
reduzir, despedir e fazer rodar os colaboradores ou implementar
decisões ameaçadoras que tenham sido tomadas, e obriga-os a
colocá-las em prática. E rapidamente. ☐

10 Acima de tudo, nunca esquece que você, o chefe supremo, já sabe
tudo o que é importante sobre este negócio. ☐

O seu resultado de 'como estragar a mudança', de 1 a 10 _____

Será esta uma visão demasiado cínica? Pode ser que sim. Apesar do exposto anteriormente, muitas organizações ESTÃO orientadas para a criação de valor, preo-cupam-se REALMENTE com as pessoas e ESTÃO empenhadas em transformar o local de trabalho num 'lugar agradável para se estar'. Onde está então o problema da mudança? Não é do benefício de todos querer melhorar as coisas, trabalhar mais efi-cazmente, bater a concorrência e destacar-se no mercado de trabalho? A resposta é, obviamente, que a mudança em si mesma pode ser benéfica para todos os envolvi-dos, desde que seja gerida de forma correcta. É a má gestão – ou má liderança – do processo de mudança que causa problemas. Na realidade, chegámos à conclusão de que os seres humanos podem aprender a prosperar com a mudança. As pessoas PODEM aprender a mudar – a questão é que não gostam de SER mudadas!

O objectivo deste livro é ajudar os líderes de negócios, homens ou mulheres, inde-pendentemente do nível em que trabalham, a serem mais eficazes a lidar com a questão da mudança, particularmente em termos humanos. O nosso intuito é casar uma série de conceitos importantes; conceitos relacionados com a liderança e con-ceitos relacionados com a criação efectiva e gestão da mudança. Desta forma, senti-mos que podemos fazer uma verdadeira contribuição para o mundo do trabalho – um mundo que é construído com base em percepções, em vez de factos, em emoções, em vez de lógica.

Para o presidente de uma empresa, 'mudança' significa mostrar liderança, desenvolvendo uma visão do futuro, moldando estratégias para tornar essa visão uma realidade e depois gerir as crises ao longo do caminho. Trata-se também de vencer batalhas políticas para garantir que, na organização, todos estão a mobilizar as suas energias para concretizar as mesmas metas e os mesmos objectivos – um processo a que chamamos 'alinhamento emocional'.

Para o trabalhador da linha de produção, o vendedor e o motorista de camiões, a mudança normalmente é uma ameaça ao *status quo*. Quando as coisas parecem ter finalmente acalmado para uma rotina previsível, alguém tem a ideia de introduzir algumas 'mudanças', a maior parte das vezes por razões obscuras, mas normal-mente com o objectivo de fazer as pessoas trabalharem mais por menos dinheiro. É fácil ser cínico em relação à mudança. Independentemente de tudo o resto, isto sig-nifica, inevitavelmente, que haverá vencedores e vencidos. E acontece muitas vezes que as pessoas 'dispensadas' no âmbito de um processo de redução de efectivos nem sempre são as vencidas. Em muitos casos, acabam por mudar para um emprego melhor, progredindo na carreira por força das circunstâncias. Aquilo a que assisti-mos agora é à 'síndroma do sobrevivente', vivida por aqueles que sobrevivem à actual vaga de despedimentos. São estes indivíduos que geralmente colocam o maior desa-fio, em termos de recursos humanos, à liderança das nossas organizações.

O crescente desafio da mudança

Não há dúvidas de que o desafio da mudança está a crescer. À medida que entrámos no século XXI, assistimos a mais mudanças na forma como vivemos, trabalhamos e levamos a cabo os nossos negócios do que durante os vários séculos que nos antecederam. Por exemplo, de acordo com o relatório a cargo da Real Sociedade das Artes, em 1996,[2] as mudanças sentidas nos últimos dez anos são irreversíveis e estão a ter muitas consequências no futuro do trabalho. No Reino Unido, menos de 60% da população activa tem um emprego a tempo inteiro (e esta percentagem está a diminuir), 28% de todos os trabalhos são em part-time; 80%--90% dos novos empregos são atribuídos a mulheres; as mulheres representavam 55% da força laboral na viragem do século; os gestores trabalham mais 120 horas por ano do que há 50 anos; e cerca de 33% dos homens e das mulheres reformaram-se aos 54 anos.

É interessante verificar as significativas mudanças que ocorreram na última década do século XX. Assistimos ao desaparecimento do Muro de Berlim, à emergência da Internet, a uma explosão virtual na nossa capacidade de comunicar à escala internacional, com os telefones móveis, à 'libertação' da África do Sul, com a abolição do *apartheid*, e à concorrência verdadeiramente global em quase todos os sectores de actividade. Nalguns pontos temos de concordar com a sugestão de Warren Bennis de que o nosso mundo só existe há cerca de dez anos no que diz respeito à forma como vivemos diariamente! Se a taxa de mudança está a aumentar, então é de certa forma intimidatório pensar no que a próxima década nos poderá trazer.

Mais importantes do que as mudanças que estamos a viver actualmente talvez sejam as que estão previstas para o futuro. De acordo com um outro relatório, encomendado pela Barclays Life[3], ir para o trabalho em 2020 vai ser muito diferente do que era em 2000. Para começar, vamos ser confrontados com uma série de escolhas. O horário de trabalho vai ser mais reduzido (devido à evolução tecnológica); 25% da população activa vai trabalhar em casa; muitos vão trabalhar apenas três a quatro dias por semana, de forma a concentrar as horas de trabalho. Isto vai libertar um ou dois dias para desenvolver actividades de lazer ou trabalho comunitário. Haverá um enorme aumento do poder dos computadores, de tal forma se prevê que 'um computador pessoal em 2020 vai ser tão poderoso como todos os computadores em Silicon Valley actualmente'. O PC (*Personal Computer*), muito provavelmente, vai transformar-se num PN (*Personal Network*) – uma rede pessoal que integra sistemas de activação por voz e óculos virtuais, sem fios, capazes de receber vídeo digital, que 'nos permitirá falar com qualquer pessoa no mundo e vê-la sem perder a mobilidade'. Estas mudanças extraordinárias nas nossas vidas são o ambiente no qual os líderes vão ter de agir no futuro.

Neste livro, propusemo-nos analisar a forma como os líderes de uma ampla amostra enfrentaram o desafio da mudança e lidaram com ele. Entrevistámos uma série de indivíduos em grandes multinacionais, em pequenas empresas, em grandes serviços públicos em pleno processo de privatização e, até mesmo, indivíduos do mundo académico, confrontados com um mercado global no que se refere aos seus consumidores. Foi uma viagem fascinante. A determinado momento julgámos ter a resposta para muitos dos problemas associados à mudança. No entanto, chegámos à conclusão de que não era bem assim. O que realmente descobrimos, porém, foram temas recorrentes que vezes sem conta sustentaram o processo eficaz de liderança da mudança que explorámos.

Um desses temas é a importância do comportamento do líder na definição da cultura da organização e as atitudes dos colaboradores individualmente. Edgar Schein[4] discute a ligação entre liderança e cultura no sentido de o líder criar uma cultura com base em artefactos exteriores, valores defendidos e assunções básicas subjacentes. Durante os últimos anos, expressões como *walking the talk* (cumprindo o prometido), *managing by walking around* (gerir promovendo contacto pessoal), *leader visibility* (visibilidade do líder) e *values-based leadership* (liderança baseada em valores) tornaram-se corriqueiras. Chegámos à conclusão de que a liderança eficaz da mudança não é tanto aquilo que o líder diz em termos de retórica, mas antes aquilo que ele realmente Faz, particularmente em relação à forma como lida com as pessoas a nível pessoal. E os líderes dão o exemplo para a criação da cultura da organização ao nível dos símbolos exteriores, tais como forma de vestir, edifícios que a empresa possui, etc., juntamente com a forma como exibem os seus verdadeiros valores e suposições implícitas.

Ambos os autores têm uma vasta experiência em levar a cabo sessões de liderança estratégica tanto para organizações privadas como públicas. Estas sessões têm por base a ideia de criar uma visão ou missão associadas a um conjunto de valores empresariais, entendendo aquilo que é importante na forma como são conduzidos os negócios. Implicitamente, estes são baseados nas suposições implícitas e crenças da organização. Em muitos casos, temos visto este esforço ser totalmente desperdiçado, porque mesmo quando a direcção estratégica é criada, os problemas surgem quando os gestores de topo não conseguem agir de forma a apoiar o conjunto dos seus valores previamente definidos.

Eis um valor que surge regularmente e está relacionado com a importância das pessoas: 'As pessoas são o nosso activo mais precioso'. Esta é uma expressão muito comum. No entanto, é normal uma empresa publicar isto, ou algo semelhante, como parte integrante do seu relatório de valores numa semana e, na semana seguinte, fazer com que um número considerável de pessoas se sinta dispensável. A reacção da força laboral é natural; as pessoas acreditam mais no que vêem do que naquilo que ouvem. Quando um valor fica comprometido devido ao comportamento da organização, as pessoas tornam-se desconfiadas e, em resultado disso, todo o processo de criação de uma 'direcção estratégica' cai por terra – tudo porque a liderança da organização diz uma coisa mas age de forma diferente, normalmente motivada por um pensamento de curto prazo.

Um direito adquirido

Como autores temos um direito adquirido em relação à mudança. Ambos mudámos de carreiras com sucesso ao longo das nossas vidas, com êxito, numa tentativa de enfrentar os desafios do mundo imprevisível à nossa volta. Apesar de estas transições nem sempre terem sido experiências gratificantes, ensinaram-nos que a única forma de lidar com a mudança é abraçá-la e não resistir. E este é o desafio para todas as organizações, pelos menos a avaliar pelas que analisámos. No total, entrevistámos cerca de 25 líderes, tanto no sector público como no privado. Escolhemos indivíduos que tinham uma influência significativa na organização em que estavam envolvidos, mas que eram também claramente 'líderes em aprendizagem'.

A reflexão sobre a liderança evoluiu

Assim, a liderança tem de ser o nosso ponto de partida para tentar compreender como lidar com a questão da mudança. Tal como explicamos no Capítulo III, a reflexão sobre a liderança evoluiu consideravelmente durante o último século. O que agora é evidente é que uma liderança efectiva consiste num processo criado por um indivíduo e não numa focalização nas qualidades pessoais desse indivíduo. Isto significa que os líderes já não podem confiar nas suas capacidades pessoais para criar métodos eficazes nas suas organizações. O mundo à nossa volta está a mudar a tal velocidade que o conceito de 'líder em aprendizagem' tem de ser o caminho para o futuro. Escolhemos o título Liderança Inteligente exactamente pela mesma razão. As ideias de *brainy leadership* (liderança inteligente) e de *thinking leader* (líder pensante) já existem há algum tempo. O que fizemos foi explorar a liderança, quer em termos do processo criado, quer em termos da adequação desses processos em determinadas situações.

A importância da emoção

Em muitos aspectos, somos da opinião de que a liderança é essencialmente um processo emotivo, pelo que nos apoiamos fortemente nas ideias de Daniel Goleman e no seu conceito de Inteligência Emocional[5]. A emoção é cada vez mais reconhecida como tendo um grande impacto na determinação do nosso sucesso no cumprimento das exigências que nos são feitas ao longo da vida e que são inerentes ao nosso progresso. Durante muitos anos, especialmente no mundo dos negócios, as pessoas lutaram timidamente contra a palavra 'emoção'. Achavam que era contraproducente usá-la para manter o controlo e a disciplina dentro das organizações. No entanto, a emoção é o único factor que nos possibilita manter o controle ao nível pessoal, além de criar o sentido de disciplina que muitas vezes falta em tantas organizações. Abordámos todo este tema da liderança eficaz da mudança, na tentativa de perceber como líderes de mudança bem sucedidos controlaram a dimensão emocional da mudança através dos comportamentos que revelaram. Goleman identificou cinco áreas que sustentam o conceito de Inteligência Emocional e, em muitos aspectos, estas fornecem uma base sólida para compreender a liderança eficaz da mudança. Na realidade, sugerimos que estas mesmas cinco áreas suportem o nosso conceito de 'Liderança Inteligente' porque, em última análise, a liderança prende-se com o impacto emocional produzido em quem é liderado, que por sua vez transforma o seu comportamento de forma a alcançar um melhor nível de desempenho.

Explorar a Liderança Inteligente

A primeira área da Liderança Inteligente prende-se com o líder adquirir auto-conhecimento. 'Conhece-te a ti mesmo' tem sido uma frase muito utilizada ao longo da história e nunca foi tão relevante como nos turbulentos tempos que atravessamos. Os líderes eficazes da mudança estão conscientes das suas forças e fraquezas e tentam capitalizar quer as suas próprias capacidades quer as dos seus colegas de trabalho. Um dos pontos essenciais do processo de auto-conhecimento é a capacidade de ouvir. Esta é, porém, uma capacidade que muitos líderes parecem perder ao longo dos seus reinados. Por exemplo, muitos analistas dizem que esta foi a principal razão da queda de Margaret Thatcher na década de 90, porque, na sequência dos seus êxitos na Guerra das Falklands e no âmbito do processo da criação da sua reputação internacional de 'Dama de Ferro', ela pareceu desenvolver a ideia de que era inatacável e de que podia ignorar os conselhos do seu Executivo. Em última análise, isto levou à sua queda e constitui uma lição valiosa para todos os líderes, seja qual for a sua esfera de actividade.

Gerir emoções é a segunda questão mais importante na Inteligência Emocional de Goleman, traduzindo-se – em termos de liderança – na gestão da moral, tanto por parte do líder como dos liderados. No livro que escrevemos antes, intitulado *The Business of Leadership*[6], sugerimos sete Competências Básicas de Liderança, sendo a sétima tomar uma decisão num momento de crise. Parece ser parte vital da liderança eficaz, particularmente em tempos de mudança, que um líder possa lidar com as suas próprias emoções, assim como as dos seus seguidores. A questão da 'moral' sempre desempenhou um lugar de destaque na agenda da liderança, e trata-se de um aspecto ainda mais importante na liderança que lida com a mudança.

As outras seis competências são: definir uma direcção, dar o exemplo, estabelecer uma comunicação eficaz, criar um alinhamento, fazer sobressair o melhor de cada um e actuar como agente de mudança. Estes são explorados de forma mais aprofundada no Capítulo III.

A nossa quarta competência (criar um alinhamento) está relacionada com o terceiro elemento da Inteligência Emocional, que se prende com tirar proveito das emoções. Em todas as situações de mudança, um dos aspectos mais importantes consiste em gerir a energia humana e assegurar que toda a gente está a trabalhar para um fim comum. Deste modo, o alinhamento emocional significa canalizar o máximo possível de energia humana no sentido de transformar a visão numa realidade – em vez de a desperdiçar em conflitos internos.

Um dos aspectos da mudança que normalmente precisa de ser ponderado é a ideia de massa crítica, ou seja, o conjunto de indivíduos que têm de ser conquistados, pelo menos emocionalmente, pelas novas ideias e formas de trabalhar. O alinhamento emocional é uma questão central para tirar proveito das emoções.

O líder como persuasor e não como controlador

Compreender os outros e os seus pontos de vista é um elemento-chave, tanto da Inteligência Emocional como da Liderança Inteligente. Jay Conger já defendia a ideia da 'Liderança Persuasiva' num artigo[7] publicado na *Harvard Business Review*. Empatia e compreensão do ponto de vista dos seguidores é um aspecto fundamental na Liderança Inteligente, que convence, em vez de coagir, os seguidores. Analisaremos com mais detalhe a abordagem de Conger em termos de Liderança Persuasiva mais à frente neste livro.

O último elemento da Inteligência Emocional traduzido directamente para a Liderança Inteligente é o de gestão de relações. Uma gestão de relações bem sucedida é vital tanto para as organizações como para os indivíduos. Em geral, o mundo empresarial reconhece agora que uma eficaz gestão de relações não se aplica apenas aos clientes, mas também a outras partes interessadas (*stakeholders*), incluindo colaboradores, accionistas, fornecedores e a comunidade em geral. No futuro, os líderes inteligentes e bem sucedidos devem ter sempre presente, no que diz respeito à sua forma de operar, que também eles possuem um leque de partes interessadas e não apenas seguidores.

Uma abordagem prática

À medida que avançamos para iniciar a nossa viagem para a liderança eficaz da mudança, utilizando tanto as perspectivas de Inteligência Emocional como de Liderança Inteligente, é importante compreender que o objectivo deste livro é ser uma ferramenta prática para ajudar os líderes, a todos os níveis, a serem mais eficazes na forma como lidam com os assuntos relacionados com a mudança. Embora aqui apresentemos algumas ferramentas teóricas e conceptuais que realmente ajudam a gerir e implementar a mudança de forma mais eficaz, acreditamos que o principal valor deste livro reside nas entrevistas que fizemos. Levámos a cabo entrevistas estruturadas com cerca de 25 indivíduos que tinham a reputação de serem líderes eficazes de mudança. Escolhemos cuidadosamente os nossos entrevistados, que representam assim um vasto leque de estratos empresariais, tanto do sector público como do privado. Eles são também representativos de uma ampla amostra geográfica. Falámos com líderes da Europa, da África do Sul, dos EUA e do Reino Unido.

Todos os nossos inquiridos exibiam sinais de liderança consideráveis, tanto em termos das tarefas que levaram a cabo, como na forma como se relacionaram com as pessoas envolvidas. Tornou-se evidente que desenvolveram um sentido natural para a liderança eficaz, ainda que não tenham lido todos os livros sobre o assunto! Boas ideias e boas práticas tendem a emergir da experiência, seja esta boa ou má. Neste livro propomo-nos ajudar o leitor a apagar as más experiências, aprendendo através dos outros. Como resultado, deverá ajudar leitores e gestores de todos os níveis a operar de forma mais eficaz. Uma coisa com que todos os líderes parecem concordar é que o futuro é gerar e implementar novas ideias, e é isso que tencionamos fazer com este livro.

Os níveis da liderança

Uma das conclusões que emergiu quando escrevíamos este livro é que tanto a mudança como a liderança acontecem em níveis diferentes dentro de uma organização. Apesar de nenhum modelo simplista bidimensional poder alguma vez explicar e prever totalmente a natureza deste complexo sistema que são as organizações humanas, estes instrumentos – se utilizados cuidadosamente – podem melhorar a nossa compreensão. Descobrimos que analisar o funcionamento de uma organização a três níveis – o estratégico, o operacional e o da linha da frente – era uma forma útil de abordar a questão da mudança e da liderança. Em geral, as organizações criam as suas próprias visões e estratégias para a mudança através de discussões estratégicas, mas com relativa pouca reflexão sobre como essas estratégias poderão ser postas em prática no dia-a-dia. Além disso, ainda que os níveis médios de gestão operacional tenham tido o privilégio de participar na criação das estratégias, o seu impacto na linha da frente é frequentemente negligenciado e muitas vezes ignorado por completo.

Em contraste, concluímos que os líderes que são eficazes a trabalhar com a mudança parecem ser capazes de pensar nestes três níveis simultaneamente e acreditamos tratar-se de uma competência que todos os líderes devem desenvolver. Uma actividade-chave de liderança que emergiu foi o *networking* – construir um conjunto de contactos pessoais em diferentes funções da organização e em diferentes níveis hierárquicos. Estes são os 'líderes integradores' (*integrating leaders*), que desempenham um papel vital em assegurar que a organização opera como unidade coesa e não por compartimentos políticos, preocupados sobretudo em somar mais pontos do que os outros.

A competência do líder eficaz da mudança é abraçar os três níveis no processo de mudança. Acreditamos que a chave para o fazer é criar um forte sentido de pertença e um alinhamento emocional com a organização. À medida que avançamos no século XXI, não há dúvida de que o aspecto emocional do negócio vai, em última análise, tornar-se cada vez mais significativo na determinação do sucesso, seja qual for a forma como possa ser medido.

Avançar

Na realidade, esta mudança para as questões emocionais não é nova. No início dos anos 80, Tom Peters, num livro seu extremamente bem sucedido, intitulado *Na Senda da Excelência*[8], sublinha a importância de dar atenção aos 'assuntos das pessoas', da mesma forma que se dá à estratégia do negócio, estrutura e outros 'assuntos sérios' tão comuns na literatura de negócios. Peter Senge, em *The Fifth Discipline*[9], avançou as nossas ideias da 'organização em aprendizagem', através da promoção simultânea de sistemas de pensamento do ponto de vista do negócio e de um ponto de vista mais humano, do desenvolvimento da autoridade pessoal, do trabalho em equipa e da construção de uma visão partilhada. Durante o mesmo período, outros autores que escreveram sobre a liderança começaram a afastar-se dos modelos puramente comportamentais para passarem a pensar a liderança como um processo emocional que envolve os seguidores num nível psicológico mais profundo – o nível da inspiração. Warren Bennis e Burt Nanus, por exemplo, revelaram uma 'Nova Teoria de Liderança' no seu livro *Leaders*[10], que sublinhava as diferenças entre gestão e liderança. Os dois autores avançaram com a ideia de os líderes utilizarem estratégias com um elevado impacto emocional nos colaboradores: a 'Atenção através da Visão' é claramente direccionada para o nível da inspiração, com a comunicação, a criação de confiança e o desenvolvimento de uma imagem positiva de si próprio a servir de base à dimensão emocional.

Mais recentemente, Bennis deixou de questionar os 'porquês' da liderança para se concentrar nos 'comos' – os mecanismos que os líderes de todos os níveis podem utilizar de forma eficaz para influenciar os seus colaboradores. Esta abordagem foi desenvolvida por Jay Conger, colega de Bennis. Mencionámos, no início deste capítulo, que Conger analisou, durante um período de 12 anos, 23 líderes empresariais numa série de contextos diferentes. Concluiu que os líderes eficazes parecem utilizar quatro mecanismos de importância vital para influenciar os colaboradores. Primeiro, estabelecem a sua credibilidade. Num contexto de mudança, isto é fundamental. Trata-se de o líder estar bem informado, lidar com a informação de forma adequada, comportar-se de forma a inspirar confiança, geralmente conquistando a confiança das pessoas. Em segundo lugar, a abordagem de Conger sugere o estabelecimento de uma base comum. As pessoas sentem-se ameaçadas numa situação de mudança quando se vêem a si mesmas como potenciais perdedores. É o líder que pode ver a situação do ponto de vista da outra pessoa e então criar empatia junto desse indivíduo, de forma a criar objectivos comuns.

A terceira ideia é utilizar a linguagem. Ao longo dos tempos, os líderes têm reconhecido o poder de uma retórica e uma oratória eficazes. No entanto, no actual mundo dos negócios, muita da emoção da linguagem parece ter desaparecido. O líder eficaz parece ser o indivíduo que consegue utilizar a linguagem de forma eficaz para inspirar as pessoas, em de vez de simplesmente entregar as folhas e 'os números'.

Por último, Conger frisa o aspecto emocional da liderança, a importância de estabelecer uma ligação emocional com os seguidores. Uma vez mais, vemos as implicações de optarmos por uma abordagem que dá mais importância à Inteligência Emocional do que à Inteligência Intelectual.

Os processos criados pelo líder, não as qualidades do líder

É portanto perceptível que a liderança é cada vez mais reconhecida como sendo algo mais do que as simples qualidades de um indivíduo. Tem muito mais a ver com os processos criados pelo líder e o impacto, em grande parte emocional, que estes têm nos seguidores. Juntamente com a potencial ameaça e os aspectos temidos da mudança, podemos ver o quanto é importante que os líderes eficazes dominem os princípios-chave inerentes a lidar com pessoas em momentos de mudança. A velocidade da mudança está a acelerar, e é pouco provável que a vejamos abrandar num futuro próximo. Aquilo a que vamos assistir é a um progressivo impacto dos Motores da Mudança (*Drivers of Change*) nas nossas vidas, tanto no trabalho como no nosso tempo livre.

Visão geral

Dedicámos, por isso, o Capítulo II à exploração dos Motores da Mudança, porque acreditamos que é vital para qualquer líder eficaz de mudança ter uma consciência genérica dos factores que estão a motivar a mudança relacionada com a forma individual de operar, tanto em termos gerais como específicos.

O Capítulo III avança para considerar a natureza da liderança em relação à forma como se desenvolveu. Apesar de as nossas ideias sobre este aspecto da liderança terem sido apresentadas de forma mais exaustiva no nosso livro anterior, *The Business of Leadership*, consideramos que é útil esquematizar o desenvolvimento do pensamento da liderança porque demonstra algumas tendências distintas. Primeiro, observa-se uma clara mudança no que diz respeito a concentrar a atenção nas qualidades do indivíduo, através de comportamentos, passando agora a defender-se a ideia de que os líderes eficazes criam um processo através do qual transformam a capacidade dos seguidores no sentido de produzirem elevados níveis de motivação e desempenho.

Em segundo lugar, as noções de poder e autoridade estão claramente a afastar-se do líder individual para se aproximarem da produção de energia por parte dos seguidores. Isto leva-nos ao terceiro tema, claramente identificável: a mudança da liderança do tipo 'comando e controlo' para um estilo que delega funções, de forma a tentar despertar o potencial dos colaboradores, em vez de tentar controlar o seu comportamento.

O desenvolvimento das nossas próprias ideias sobre o tópico – altamente complexo – da liderança também reflecte o afastamento da noção comum de que a liderança é 'masculina, militar e ocidental'. O que agora se está a tornar claro é que a liderança é um processo humano que pode ser, e é, exibido pelos dois sexos; que todas as organizações necessitam de uma liderança eficaz e que nenhuma parte do mundo pode reivindicar que tem mais capacidades de liderança do que outra.

No Capítulo IV, discutimos como as organizações estão a responder ao desafio da mudança. Vemos exemplos diários de *downsizing* (redução de pessoal), *rightsizing* (redimensionamento), *de-layering* (redução de hierarquias) e de algumas reorganizações imaginativas, a par dos efeitos subsequentes nos indivíduos envolvidos. Já ninguém acredita, pelo menos de forma realista, que vai seguir um único caminho em termos de carreira durante a sua vida de trabalho. A promoção não é a força principal nos negócios 'planos' (sem hierarquias) e com hierarquias reduzidas. O enriquecimento profissional, os movimentos paralelos, o trabalho externo e estilos de vida 'portfólio' tornaram-se a linguagem de todos os dias. A organização virtual está a tornar-se numa realidade para muitas operações, tanto no sector público como no sector privado. Estamos agora a reconhecer que é o desenvolvimento do capital intelectual que é de importância vital para a sobrevivência de uma organização e o seu desenvolvimento no futuro. Reacções como as de Luddite – um membro do grupo de operários que, entre 1811 e 1816, armavam motins com o objectivo de destruírem as máquinas – à introdução das tecnologias já não são toleradas. Todas as organizações têm agora de acolher a tecnologia de uma forma nunca antes vista. Os gestores de primeira linha expandiram o seu raio de acção, os gestores médios estão a desaparecer e os gestores seniores estão progressivamente a compreender que precisam de desenvolver a sua capacidade ao nível da direcção e da vice-presidência se quiserem manter a sua credibilidade de liderança.

Um infeliz efeito secundário da forma como as organizações estão a responder é o paradoxo criado por cada vez menos pessoas fazerem mais trabalho e pela necessidade de inovar a todos os níveis. O stress no local de trabalho está a aumentar. No Reino Unido, por exemplo, estudos revelam que mais de 100 milhões de dias de trabalho se perdem todos os anos numa população activa de cerca de 38 milhões. Isso traduz-se em cerca de dois ou três dias anuais por cada pessoa activa. Trata-se de um desperdício de recursos desconcertante.

Adicionalmente, quem está em stress não contribui com o seu melhor rendimento, especialmente em termos de criatividade e inovação. Para as empresas se adaptarem e abraçarem eficazmente a mudança, têm de ter em conta o impacto das suas acções nas pessoas envolvidas. Em muitos aspectos, o stress no local de trabalho pode ser visto como o resultado de uma fraca liderança da mudança. Muitos autores, entre os quais Warren Bennis[11], fazem a distinção entre processo de gestão e liderança. Defendemos que o stress no local de trabalho é muitas vezes um derivado do excesso de gestão e falta de liderança. A maior parte das vezes o processo de gestão não pondera os aspectos emocionais do trabalho. No entanto, são esses aspectos emocionais, muito em especial o alinhamento, que são influenciados pela liderança eficaz. Liderança e gestão são processos que se sustentam mutuamente. O stress no local de trabalho é minimizado quando as pessoas se sentem simultaneamente bem lideradas e bem geridas.

O Capítulo V analisa mais em detalhe a forma como os seres humanos respondem à mudança. Exploramos a noção de que o desejo de mudança por parte das pessoas, bem como a sua capacidade para ultrapassar esse desafio, tende, em média, a diminuir com a idade. Em contrapartida, as mudanças às quais têm de se adaptar parecem evoluir numa curva exponencial. Acompanhar o impacto deste facto nos indivíduos com um conjunto de estratégias é considerado uma abordagem operacional para ajudar os indivíduos a dominarem a mudança por si próprios.

O Capítulo VI é sobre a conquista dos corações e das mentes. É sobre aquilo a que os militares chamariam de 'aspectos psicológicos das operações'. Uma vez mais, voltamos a sublinhar a importância de todos os aspectos emocionais dos seres humanos e de como estes precisam de ser tidos em conta pelos líderes a todos os níveis. A mudança cria tanto vencedores como vencidos. Os vencedores tendem a cuidar de si próprios. São os vencidos que oferecem o maior desafio aos líderes. Os efeitos devastadores do medo, resistências e crenças negativas representam um grande desafio para os líderes eficazes da mudança. Explorámos a forma como estes assuntos limitativos têm sido abordados numa série de contextos da organização e aprendemos como a mudança pode ser abraçada e desenvolvida, em vez de temida ou combatida. A maior parte deste capítulo baseia-se nos resultados das nossas entrevistas com os 25 'líderes da mudança' bem sucedidos, que sublinharam cinco aspectos-chave: gerar compreensão, comunicar as razões da mudança, libertar o potencial das pessoas, dar um exemplo pessoal e impor o seu próprio ritmo.

As pessoas que se sentem envolvidas no processo de mudança tendem a reagir de forma mais positiva do que aquelas que sentem que a mudança lhes é imposta. Analisámos estas questões de delegação, orientação (*coaching*) e delegação de poderes (*empowerment*) no contexto da mudança para ver como é possível garantir que as pessoas realmente 'comprem a mudança' e se empenhem no processo. Estudámos a implementação e o encorajamento da mudança nas camadas médias da nossa organização de hierarquia reduzida, recorrendo às importantes observações de Jon Katzenbach no seu livro *Real Change Leaders*[12].

O Capítulo VII é sobre a estratégia. Mais precisamente, aborda a criação de condições para que uma série de estratégias sejam eficazes no sentido de criarem mudança, quer a fonte da mudança seja externa ou interna à organização. As modas mudam no que diz respeito à estratégia. O planeamento estratégico era a grande máxima na década de 70, mas parece que acabou por ficar fora de moda nos voláteis anos 80 e 90. Acreditamos, contudo, que, a não ser que se tenha um caminho mais ou menos delineado para fazer face à situação de mudança, os esforços estão condenados. A estratégia é importante e acreditamos que cada líder da mudança precisa de ser eficaz a delinear estratégias eficazes.

O Capítulo VIII trata da avaliação do sucesso. Como é que um líder da mudança sabe se é eficaz ou não? Analisámos de várias formas o impacto de um programa de mudança, desde simples sondagens até abordagens mais complexas, como livros de registo dos resultados, passando por métodos práticos de medir quer os assuntos mais ligeiros quer os mais sérios.

Montar o palco

No processo de investigação do material para este livro, utilizámos uma série de abordagens para adquirir uma compreensão sobre os líderes da mudança bem sucedidos. Uma abordagem que utilizámos particularmente foi a técnica da entrevista semi-estruturada baseada num questionário de 15 pontos que desenvolvemos. Muitos dos líderes que entrevistámos consideraram este questionário simultaneamente provocador e esclarecedor. Na realidade, boa parte deles decidiram utilizá-lo como ferramenta de desenvolvimento de gestão e liderança dentro das suas próprias organizações. Apresentamo-lo no Quadro 1.2 neste capítulo porque consideramos que poderá ajudar o leitor a concentrar-se nas questões da mudança na sua própria organização, ficando assim mais sintonizado com os próximos capítulos.

QUADRO 1.2 CONSTRUIR UMA IMAGEM ABRANGENTE DA LIDERANÇA

QUESTIONÁRIO DA LIDERANÇA EFICAZ DA MUDANÇA

1 Qual é a qualidade pessoal mais importante que um Líder eficaz da Mudança deve ter?
2 Qual foi a maior mudança organizacional em que esteve envolvido?
3 O que é que ajudou efectivamente a que essa mudança acontecesse?
4 O que travou a implementação dessa mudança?
5 Acredita que as pessoas tendem a resistir à mudança?
6 Quais são as principais razões, no seu entender, que levam as pessoas a resistir à mudança?
7 Qual é a coisa mais importante a ter em conta quando se inicia um programa para criar mudança organizacional?
8 A liderança da mudança tenderá a ser um processo diferente no futuro, por contraponto com o passado? .
9 Acredita que o ritmo da mudança está a acelerar?
10 Quais são as principais razões subjacentes à sua resposta à pergunta nove?
11 A liderança e a gestão da mudança no mundo actual são diferentes do que foram no passado?
12 Como podem os gestores e líderes implementar a mudança de forma a que os efeitos do stress em si mesmos e nos outros seja minimizado?
13 Como tentaria minimizar os efeitos das crenças negativas por parte dos indivíduos envolvidos no programa de mudança?
14 A 'liderança da mudança' é diferente da 'gestão da mudança'?
15 Na sua opinião, qual é a chave para uma liderança eficaz da mudança?

Sumário

Este livro é uma tentativa de formular correctamente as questões ligadas a lidar de forma eficaz com a mudança e foi uma viagem fascinante – uma jornada que tivemos o privilégio de levar a cabo. Tratámos as questões-chave da liderança eficaz da mudança, olhando para os Motores da Mudança, as estratégias da mudança, o impacto nos indivíduos e também para a forma como devemos avaliar a eficácia da liderança da mudança.

Explorámos alguns trabalhos dos pensadores mundiais mais perspicazes no que diz respeito ao tema da mudança e também entrevistámos muitos profissionais que são confrontados com a implementação da mudança num mundo cada vez mais complexo. O que nos marcou foi a importância da emoção – a forma como as pessoas se sentem em relação ao processo de mudança. Para serem mais eficazes no processo de mudança, os líderes e os gestores devem estar conscientes deste aspecto e adquirirem boas capacidades de gestão. Os líderes precisam de ter mais do que carisma, mais do que vontade e visão, mais do que inteligência intelectual – até mais do que inteligência emocional. Para conseguirem criar a paixão pela mudança precisam de uma 'Liderança Inteligente'.

O ponto de partida para a nossa jornada é conseguir a compreensão dos Motores da Mudança – o tema do nosso próximo capítulo.

Notas de rodapé

1 Rosabeth Moss Kanter (1988), *The Change Masters*, Unwin

2 Neil Hartley (1996), *Towards a New Definition of Work*, London: RSA

3 The Henley Centre (1998), *2020 Vision*, London: Barclays Life

4 Edgar Schein (1992), *Organisational Culture and Leadership*, Jossey-Bass: São Francisco

5 Daniel Goleman (1996), *Emotional Intelligence*, Bloomsbury (*Inteligência Emocional*, Ed. Temas e Debates)

6 Alan Hooper e John Potter (1997), *The Business of Leadership*, Ashgate

7 Jay Conger, 'The Necessary Art of Persuasion', *Harvard Business Review*, Julho-Agosto 1999

8 Tom Peters e Bob Waterman (1982), *In Search of Excellence*, Harper & Row (*Na Senda da Excelência*, Publicações Dom Quixote)

9 Peter Senge (1990), *The Fifth Discipline*, Century Business

10 Warren Bennis e Burt Nanus (1985), *Leaders*, Harper & Row

11 Warren Bennis (1989), *On becoming a Leader*, Arrow

12 Jon Katzenbach (1996) *Real Change Leaders*, Nicholas Brealey

Capítulo II
ENTRADA

Neste capítulo vai:

→ aperceber-se de que mesmo as empresas
  bem sucedidas precisam de se adaptar
  às mudanças no ambiente de trabalho

→ consciencializar-se do impacto de algumas
  mudanças políticas, económicas, sociais
  e tecnológicas a que assistimos nos finais
  do século XX

→ analisar a mudança criada, interna e externamente

→ consciencializar-se dos cinco Motores-chave
  da Mudança

→ identificar a dimensão óptima para as equipas
  eficazes da mudança

→ descobrir as marcas da excelência

→ identificar alguns valores organizacionais
  essenciais

→ encontrar ideias para desenvolver a sua própria
  visão empresarial, de forma a ultrapassar
  os padrões de desempenho mundiais

Capítulo II

Os Motores da Mudança

A dura realidade

Era Fevereiro e fazia frio no dia em que nos deslocámos ao ABIN Abecor, um prestigiado instituto bancário localizado em Bad Homburg, não longe de Frankfurt (Alemanha). A Administração tinha acabado de decidir encerrar o instituto, após 27 anos de prestação de formação em gestão à indústria bancária europeia. O negócio cresceu, o instituto atraiu oradores internacionais de renome nas suas áreas e tudo apontava para uma expansão bem sucedida da sua actividade nos anos vindouros. Como foi possível ter-se chegado àquela situação? Certamente que não foi uma mudança criada internamente. O instituto foi vítima de uma mudança externa maior no âmbito da indústria bancária europeia, que, no final dos anos 90, dava mais ênfase aos resultados de curto prazo do negócio do que à perspectiva de longo prazo.

O director executivo do ABIN Abecor, Lino Formica, salientou alguns dos motivos que levaram à morte do instituto. Inicialmente, o ABIN Abecor foi criado por um conjunto de bancos europeus que se juntaram para formar o seu próprio estabelecimento de desenvolvimento da gestão, destinado a preparar os gestores para o crescimento do trabalho multicultural e para lidarem com a mudança num mundo em rápida aceleração. Nos três anos que antecederam a decisão de encerrar o ABIN, vários grandes bancos europeus se fundiram e o Barclays Bank – membro do Reino Unido neste grupo – decidiu retirar-se do instituto, enviando delegados apenas quando havia necessidade disso.

Mas então quais foram, mais pormenorizadamente, algumas das mudanças que forçaram o ABIN a chegar a esta triste situação? Formica traçou um retrato interessante, se bem que bastante pessimista, da banca na Europa no arranque do novo milénio. Sublinhou o aumento da concorrência e a necessidade crescente de manter uma posição competitiva através da redução de custos como principais factores nas mudanças que ocorreram no mundo da banca. Quando uma organização pondera reduzir os custos, a primeira área que costuma ser atingida é a da formação e enriquecimento pessoal. As pessoas não podem ser poupadas às tarefas quotidianas para despenderem tempo em seminários de formação. Há uma pressão contínua para criar resultados financeiros positivos no curto prazo, em detrimento do desenvolvimento de longo prazo.

No passado, o mundo da banca, tal como muitas actividades do sector público, parecia criar a promessa de um 'emprego para toda a vida', independentemente do valor contribuído por cada indivíduo. Esta confortável existência dissipou-se completamente, numa altura em que a pressão exige rapidez de resposta e conquista da aposta competitiva. A velha cultura paternalista de muitas organizações foi substituída por um ambiente de trabalho sujeito a grande pressão e com redução de colaboradores, o que leva a que muitos indivíduos se esgotem prematuramente, significando muitas vezes que os 50 anos são tidos como idade da reforma, se bem que com condições melhoradas em termos de pensão.

Dos assuntos ligeiros aos assuntos sérios

Além do assunto que se prende com o desempenho de curto prazo em detrimento do longo prazo, parece que se passou da fase do desenvolvimento dos aspectos humanos – ou *soft* – das 'competências das pessoas', para uma formação tecnicamente mais orientada. Isto significa que instituições como o ABIN, que se centravam nos processos de desenvolvimento da gestão para várias empresas ao mesmo tempo, sofreram com esta nova realidade. Parece que os bancos, individualmente, estão agora a gastar os seus orçamentos destinados à formação em formação interna para novos produtos e outros assuntos técnicos, de forma a obterem lucros de curto prazo, esquecendo assim os assuntos interculturais e mais ligeiros que, no fim de contas, asseguram o futuro.

Os comentários de Formica poderiam muito bem adaptar-se a outras áreas, especialmente as associadas à indústria da Defesa, que parecem ter usufruído de uma vida confortável na segunda metade do século XX até ao final da Guerra Fria entre o Leste e o Ocidente.

Parece que a mudança está a afectar todas as pessoas no mundo dos negócios e das organizações. E não são apenas as mudanças externas à indústria que levam as empresas a reverem os seus métodos de trabalho. Existem muitas, muitas razões que explicam o porquê de estarmos a vivenciar a mais elevada taxa de mudança a que alguma vez se assistiu. A tecnologia, a política, as expectativas sociais, a legislação e um leque de outros factores conjugam-se para tornar o mundo dos negócios extremamente volátil. É quase como se estivéssemos numa montanha russa que vai destruindo os seus trilhos em busca de vias cada vez mais excitantes.

Uma montanha russa da mudança, em aceleração

Mais especificamente na última parte do século XX, assistimos a tremendas transformações políticas a uma escala nunca antes imaginada. A queda do Muro de Berlim, a emergência da Europa de Leste e o crescimento e desmoronamento das economias asiáticas são apenas alguns exemplos de como as coisas estão a mudar. Um exemplo fascinante é a África do Sul. Na última década, a África do Sul assistiu a uma forte convulsão tanto na sua estrutura política como social e isto teve um forte impacto na gestão da sua comunidade. Nos tempos do *apartheid*, o velho estilo de liderança de comando e controlo era talvez mais predominante do que em outras áreas do mundo. A partir do momento em que Nelson Mandela foi libertado da prisão e o *apartheid* foi abolido, as organizações tiveram que alterar drasticamente as suas políticas de emprego. É agora princípio básico que uma empresa deve empregar uma pessoa negra preferencialmente a uma branca se tal for possível, mesmo que as qualificações da pessoa branca sejam superiores. Isto causou grandes problemas na qualidade operacional e no desenvolvimento da base de conhecimento intelectual de muitas organizações. No entanto, existem alguns exemplos surpreendentes de negócios com visão futurista que responderam de forma magnífica ao desafio.

Um deles é a McCarthy Holdings, a maior distribuidora de veículos motorizados na África do Sul, com cerca de 110 pontos de venda de automóveis novos, gerindo aproximadamente 20 fabricantes. Brand Pretorius, director executivo da McCarthy Holdings, reconheceu os problemas da transição e conseguiu que a empresa se empenhasse fortemente em programas de alfabetização e outras formas de promover um elevado nível de enriquecimento educacional no país. Um exemplo é o facto de a McCarthy enviar regularmente expedições de todo-o-terreno para o mato com equipas de apoio educacional e material de ajuda ao desenvolvimento das pessoas que, de outra forma, não teriam qualquer tipo de experiência de um processo educacional real. À medida que o país se desenvolve, este esforço vai trazer os seus frutos e constitui um excelente exemplo de uma actividade que leva seriamente em conta a sua responsabilidade social, ao mesmo tempo que contribui com valor para a comunidade.

Mudança – motivada internamente ou imposta externamente?

Por conseguinte, a mudança pode surgir de dentro da organização ou de fora, como sucedeu com a ABIN na comunidade empresarial sul-africana. De que forma é que um líder lida com cada uma das situações?

No nosso livro anterior, intitulado *The Business of Leadership*[1], sugerimos várias competências que os líderes devem ter. Uma dessas competências era 'o líder como agente de mudança', pelo que nos debruçaremos agora sobre algumas das razões que levam a que este seja um importante aspecto da liderança.

As escalas da mudança

Conforme já salientámos, em termos básicos, existem duas escalas em que a mudança tem impacto na organização. Em primeiro lugar, existem mudanças que são moldadas pelos factores, que se estendem desde os totalmente externos até aos que são motivados internamente. Em segundo lugar, existe uma escala de mudança que tem, numa extremidade, a mudança voluntária, e, na outra, a mudança forçada. Uma competência-chave na avaliação de uma estratégia para a mudança é posicionar os assuntos de acordo com estas duas escalas, que, por sua vez, originam a construção de uma matriz em que qualquer assunto específico é passível de ser apresentado (ver figura 2.1).

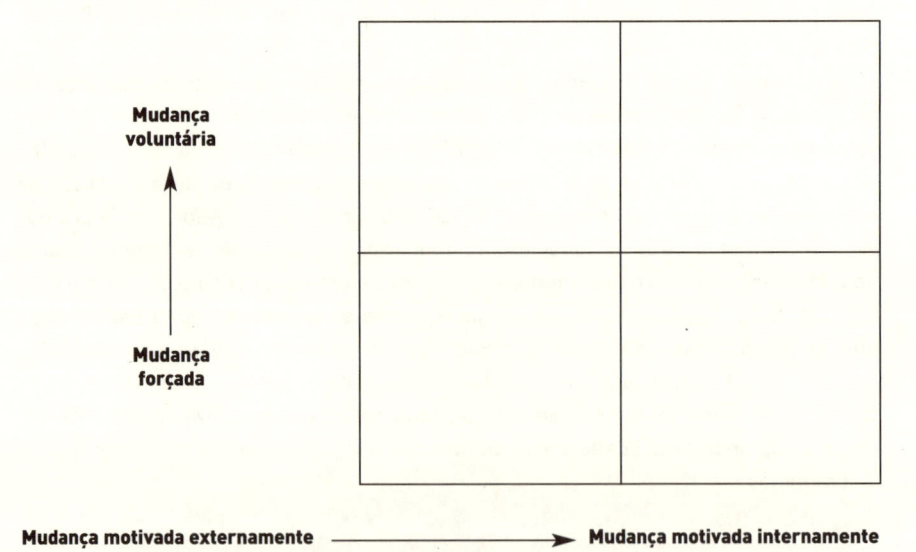

Figura 2.1 As escalas da mudança

Neste capítulo, analisaremos os quatro quadrantes apresentados nesta matriz. À semelhança do que acontece com a maioria dos modelos em termos de comportamento organizacional e humano, as fronteiras entre os quadrantes não são rígidas. Por exemplo, quando um novo presidente executivo (CEO – *Chief Executive Officer*) começa por ser nomeado, deve dar início à criação de uma nova declaração de missão. Se bem que se possa argumentar que esta é uma mudança essencialmente voluntária e motivada internamente, a realidade é que provavelmente resulta de preconceitos e percepções do presidente executivo de que os factores externos estão a forçar a organização a mudar. Está assim aberto o debate sobre até que ponto esta mudança é motivada interna ou externamente e em que medida é voluntária ou forçada.

No entanto, como a maioria dos modelos, a matriz fornece uma estrutura que ajuda à criação de prioridades, através da compreensão do ponto onde a empresa se ajusta no seu ambiente e de quais os passos a dar para a adaptar ao mundo em mudança.

Os cinco Motores-chave da Mudança na organização

Embora os gurus da gestão raramente estejam de acordo, um aspecto em que parecem ser unânimes é que estamos a viver uma velocidade sem precedentes no ritmo da mudança. Existem muitas razões para que tal aconteça, e iremos analisar alguns dos factores que estão envolvidos. Apesar de estes factores começarem por parecer externos à organização, na realidade têm consequências internas.

Em termos básicos, existem cinco Motores-chave da Mudança:

→ pessoas
→ informação
→ capacidade crescente para comunicar
→ tecnologia
→ concorrência global

É difícil identificar uma altura específica em que o mundo tenha estado completamente estável. Contudo, nas últimas três décadas parece ter-se verificado uma transição identificável em relação à forma como fazemos negócios. Esta transição está associada a mudanças que se inserem nestas cinco áreas de base.

Capital humano

Existem hoje mais pessoas no planeta do que alguma vez existiram. Isto pressupõe cada vez mais procura de recursos, e temos vindo a assistir aos resultados da procura crescente, especialmente nos países do Terceiro Mundo. Independentemente da quantidade de ajuda externa que é aplicada, a explosão populacional apenas exige cada vez mais apoios em termos de assistência alimentar, médica, etc. Ainda assim, simultaneamente, o facto de existirem mais pessoas no mundo significa que existe potencial para mais inovação e criatividade do que alguma vez existiu, desde que exploremos as potenciais capacidades que cada ser humano possui. Isto conduz--nos a uma ideia interessante. Assistimos ao avanço da raça humana através de muitos estádios. Em primeiro lugar, houve o estádio da Pré-História, em que a raça humana simplesmente se harmonizava com o seu meio circundante, vivendo em cavernas e lutando para sobreviver num ambiente extremamente hostil. O estádio seguinte foi o da progressão no sentido do controlo do meio ambiente e da criação de estruturas sociais que levaram à ascensão e subsequente queda das primeiras civilizações, como a grega e romana. À medida que o tempo passava, tivemos a Era Agrícola, a Era Industrial e por aí fora, até que chegámos, nos anos 90 do século XX, à Era da Informação. Para onde caminhamos nós agora? Qual será a próxima 'Era' da raça humana?

Existe um sentimento generalizado por parte de muitos autores de que a próxima era estará focalizada na exploração do potencial do ser humano através dos vários factores de inteligência que possuímos. Há até quem tenha adiantado que chamaremos à nova era da raça humana a 'Era psicozóica' – a era da compreensão humana. No passado, tivemos tendência para pensar na inteligência como algo essencialmente intelectual. Na verdade, a maioria dos chamados testes de inteligência tendem a trabalhar apenas as áreas básicas dos números e das letras. No entanto, existem muitas áreas para além destas, que se juntam para criar o ser humano completo. Charles Handy, no seu livro *A Era do Paradoxo*[2], chama a atenção para um leque de áreas de inteligência, como a factual, analítica, linguística, espacial, musical, prática, intuitiva e a da inteligência interpessoal. Handy admite que esta lista provavelmente não está completa. Nós podemos adicionar certamente a Inteligência Emocional que, de acordo com Daniel Goleman[3], é provavelmente a mais relevante para lidar diariamente com os desafios que se nos colocam na vida.

Por muito que definamos a inteligência, é evidente que o ser humano é um organismo complexo e cada um de nós é invariavelmente capaz de muito mais em termos de conquista do que aquilo que é por norma assumido. Os líderes que são verdadeiramente eficazes parecem ter capacidade para explorar estas vastas áreas do potencial humano. No passado, chamámos-lhes 'transformacionais' porque eles transformam a actividade medíocre em actividade excelente, pelo que são parte inerente do processo de mudança. Todavia, nos últimos anos, a liderança assumiu um perfil mais relevante. Em vez de ser vista como sendo apenas parte da gestão, a liderança é agora vista como complementar da gestão.

Em muitos livros foi estabelecida uma distinção entre 'liderança transaccional' e 'liderança transformacional'. No processo de liderança do tipo transaccional, os seguidores obedecem simplesmente a ordens (implícita ou explicitamente) do seu líder e, ao fazê-lo, vão ao encontro de padrões de comportamento porque existe um acordo contratual. Na liderança transformacional, o líder inspira os seguidores a atingirem padrões de desempenho que de outra forma não conseguiriam atingir se não fosse o efeito do líder. Assim, o comportamento deles foi 'transformado' pelas acções e, talvez, carisma do líder. Equacionámos 'liderança transaccional' com 'gestão' e 'liderança transformacional' com 'liderança' *per se* nos nossos estudos. No essencial sentimos que toda a liderança é inerentemente transformacional caso se trate de liderança em vez de gestão. Assim, deveríamos antes falar em termos de 'liderança transcendente', na qual os líderes eficazes permitem que os seus seguidores transcendam as suas situações correntes e níveis de desempenho.

Em termos de liderança, a ideia de os líderes possibilitarem que os seus seguidores 'transcendam' os seus actuais níveis de desempenho é um ponto-chave que deve ser analisado. Muitas organizações olhavam para os seus colaboradores, no passado, como um custo a ser suportado, em vez de um investimento que deve ser desenvolvido. Um ponto muito importante para uma liderança da mudança bem sucedida consiste em desenvolver uma cultura dentro da organização que promova a aprendizagem por parte dos indivíduos, das equipas de indivíduos e da empresa como um todo. Peter Senge analisou o assunto de forma exaustiva no seu livro intitulado *The Fifth Discipline*[4] onde sugere cinco factores-chave para a criação de uma organização de aprendizagem. Estes factores incluem a ponderação dos sistemas, mestria pessoal, modelos mentais, construção de uma visão comum e aprendizagem em equipa. Os cinco factores podem ser agrupados em conjunto sob o lema da exploração do potencial das 'pessoas', tanto individualmente como em grupos. É interessante salientar que Peter Senge e a sua vasta equipa de diligentes investigadores centram agora a sua atenção na ideia de criar a mudança nas organizações, de forma a permitir que essas mesmas se tornem Organizações de Aprendizagem *(Learning Organizations)*. No livro *The Dance of Change*[5], analisam várias formas de poder ser criada uma 'cultura de aprendizagem' dentro de organizações de praticamente qualquer dimensão – a chave para o processo, é nossa convicção, é desbloquear o potencial humano que existe sempre em qualquer organização.

Uma segunda forma de o tema das 'pessoas' constituir um Motor da Mudança prende-se com os seres humanos em grupos, em vez de individualmente. As formas tradicionais de olhar para os factores de mudança em termos organizacionais focam-se nos factores políticos e sociais. Ambas as áreas estão associadas às pessoas *en masse* em vez de individualmente. E existe uma ligação interessante, neste caso, à ideia de inteligência. Se tomarmos uma das definições de inteligência como 'comportamento apropriado numa situação específica', então o desempenho dos seres humanos em termos de inteligência parece seguir um padrão interessante, conforme se demonstra na Figura 2.2. Diversos autores verificaram que, até atingir um determinado número de membros, o trabalho em equipa parece produzir um resultado mais eficaz, começando a ser menos eficaz quando a equipa ultrapassa uma determinada dimensão. Podemos representar essa ideia em forma de gráfico (ver Figura 2.2).

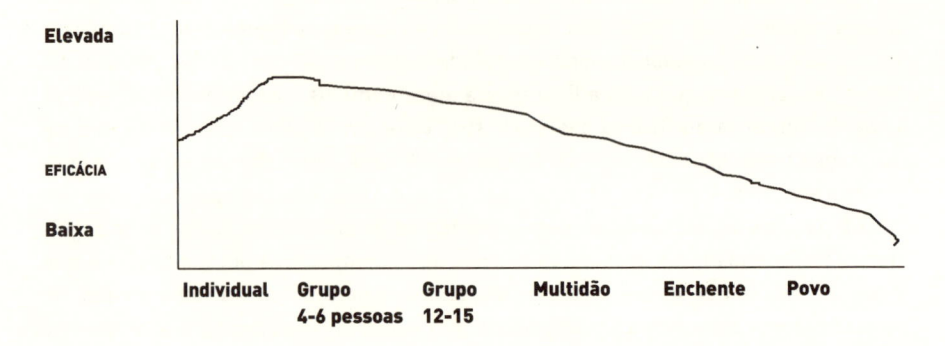

Figura 2.2 O desempenho colectivo das pessoas no trabalho

O desempenho em termos de acção inteligente parece melhorar quando as pessoas se reúnem em pequenos grupos de quatro ou seis elementos. No entanto, quando se atinge o número de dez ou mais pessoas, os níveis de desempenho quebram e começam a deteriorar-se, até se experimentar a síndroma de 'grande reunião' e, por fim, o comportamento muitas vezes absurdo de grandes multidões e enchentes.

O que isto significa para o nosso líder na criação e manutenção de um programa de mudança é que a chave para uma acção eficaz é organizar os seus colaboradores em pequenos grupos. Obviamente que este princípio não é novo! Não é por acaso que as organizações militares, paramilitares e terroristas recorreram à ideia da 'célula de quatro homens', 'secção de oito homens', etc. As Unidades das Forças Especiais geralmente operam em grupos de quatro elementos, uma vez que a experiência mostrou que isso tende a ser a via mais eficaz para explorar as potenciais capacidades dos membros de uma unidade. A um nível, esta ideia significa que deveríamos organizar-nos para a mudança trabalhando em pequenas equipas. O problema desta ideia prende-se contudo com o facto de essas equipas poderem levar a divisões, provocando problemas de comunicação. Além disso, a experiência mostrou igualmente que, para se concretizar uma mudança eficaz, importa criar uma 'massa crítica', uma situação em que uma significativa parte das pessoas envolvidas se comprometa com a mudança. Assim sendo, é necessário reunir periodicamente estes pequenos grupos de forma a garantir o efeito de criação de uma equipa mais vasta sem desenvolver o tal lado menos produtivo de comportamento, observável num grupo mais alargado. Uma das formas de os autores conseguirem isto em *workshops* com um baixo, médio e elevado número de pessoas e em seminários com grupos foi garantir que o trabalho em conjunto e de debate é levado a cabo em grupos com uma dimensão não superior a oito indivíduos.

Mesmo numa grande conferência com várias centenas de pessoas é possível concretizar esta ideia, utilizando o estilo café-concerto na distribuição de lugares, com grupos de oito pessoas em volta de cada mesa. Quando o número de mesas é elevado, de forma a albergar todas as pessoas, então devem ser subdivididas de maneira a criarem um ambiente válido para os grupos trabalharem de forma eficaz em conjunto.

Se olharmos agora com outra perspectiva para as pessoas em grupos, podemos começar a pensar em algumas das transformações políticas a que assistimos na última década do século XX. Observámos os resultados da dissolução da divisão Leste-Oeste. Para muitos, esta dissolução criou grandes oportunidades comerciais no chamado 'Bloco de Leste'. Ao mesmo tempo que a divisão política em larga escala se parece ter dissolvido, assistimos ao aparecimento de regiões de conflito mais pequenas, como a Bósnia, o conflito israelo-árabe, e o aparecimento de líderes déspotas como Kaddafi e Saddam Hussein. Estas transformações políticas, só por si, mostraram que o mundo se tornou num lugar muito diferente na forma como as organizações irão operar, tanto agora como de futuro. Cada vez vemos mais empresas a travar duras batalhas para se afirmarem a nível internacional, como é o caso da Shell, cujas actividades na Nigéria muitas vezes lhe colocam problemas em termos de relacionamento com o governo local. O que estas transformações políticas significam é que já não podemos assumir que o futuro será como o passado. É quase como se, literalmente, tudo pudesse acontecer na arena política mundial.

Além disso, acontecimentos solitários podem despoletar uma intensa transformação social num só país. A morte de Diana, princesa de Gales, em Agosto de 1997, provocou um tremendo impacto, tanto nos britânicos como à escala mundial. Entre os resultados desta situação tão triste esteve o facto de a Família Real Britânica, que foi fortemente criticada pela forma como reagiu à morte de Diana, ter tido que reavaliar a forma como actuava. Desde Agosto de 1997, tornou-se evidente que os membros mais visíveis da Família Real Britânica, como a Rainha, o Príncipe Carlos e a Princesa Ana, se esforçam bastante para mostrarem ao povo britânico que estão em contacto com o mundo real. Um exemplo disso é o facto de a Rainha ter sido fotografada para um tablóide quando visitava um McDonald's e o facto de o Príncipe Carlos ter vindo a esforçar-se consideravelmente para estimular o interesse por regiões mais desfavorecidas do Reino Unido, como a Cornualha, de forma a ajudar a encorajar o investimento nessas zonas.

Depois de analisarmos alguns dos temas relacionados com as pessoas, tanto em termos sociais como políticos, temos agora de pensar o que é que isto poderá significar em relação à liderança de indivíduos e de grupos. Talvez o termo mais adequado, no que diz respeito à mudança, seja expectativa. Em consequência das transformações políticas e sociais que vivemos no passado recente, as pessoas em geral têm agora níveis mais elevados de expectativa do que alguma vez tiveram. Através dos desenvolvimentos na televisão por satélite, quem vive nos países do Terceiro Mundo consegue ver a forma como as sociedades materialistas, de que são exemplo a Europa e os Estados Unidos, vivem. Viver numa aldeia rural na Ásia já não significa que se esteja desligado do resto do mundo. Os jogos de basebol, os Jogos Olímpicos, os dramas políticos e as novelas desempenham o seu papel na educação sobre as oportunidades de estilo de vida. Em termos de liderança, isto significa que os indivíduos podem esperar agora muito mais dos seus líderes do que alguma vez esperaram. A relevância da expectativa na vida organizacional significa que os indivíduos tendem a criar referências, muitas vezes inconscientemente, sobre a forma como as empresas de êxito operam. E esperam que os seus próprios líderes criem resultados semelhantes.

Mais do que nunca, os líderes estão sujeitos a um forte escrutínio em termos dos resultados que produzem e também em relação à criação de um ambiente organizacional eficaz que vá ao encontro das expectativas da força de trabalho.

Informação

Regressemos agora ao assunto da informação. Com a criação da Internet, qualquer indivíduo com acesso a um computador, *modem* e linha telefónica tem agora à sua disposição mais informação do que alguma vez se tinha pensado ser possível há apenas 50 anos atrás. Em Abril de 1999 calculava-se que existiam 150 milhões de utilizadores em todo o mundo e este número estava a aumentar à razão de dezenas de milhões por ano. Além disso, previa-se que o tráfego na Internet pudesse exceder o do telefone em 2001.

Isto tem vários efeitos. Em primeiro lugar, existe o problema do excesso de informação. Qualquer pessoa que utilize um motor de busca da Internet para procurar um assunto, cedo se apercebe como é importante especificar o tópico da forma mais precisa possível. Se escrever simplesmente uma palavra-chave como 'liderança' ou uma expressão como 'trabalho de equipa', não será invulgar deparar-se com milhares de ocorrências a nível mundial na Internet. O problema não é a falta de informação, mas sim descobrir a informação que nos é útil. Este facto será indubitavelmente uma competência-chave para os líderes no futuro. Será vital que os líderes, a todos os níveis hierárquicos, tenham capacidade para seleccionar e distribuir a informação de forma a extrair os assuntos-chave necessários, para pensarem depois com ideias e conceitos que são inerentemente ambíguos e complexos.

Uma área onde a explosão da informação foi bastante importante foi a área do correio electrónico, ou *e-mail*. Não é invulgar que um executivo típico ou gestor tenha uma acumulação de mensagens electrónicas que podem elevar-se até à centena, especialmente se ele ou ela tiver estado ausente do escritório por alguns dias. Uma vez mais, o problema é destrinçar o importante do trivial. Uma das razões pelas quais o *e-mail* parece ter-se tornado um desafio para tanta gente prende-se com o facto de ser muito fácil criar listas 'cc'. Basta puxar uma lista pré-definida de endereços de *e-mail* para ser possível enviar a mesma mensagem a um número ilimitado de pessoas dessa lista em vez de enviar mensagens individuais para cada pessoa. Embora isso possa ser útil para manter todas as pessoas informadas acerca dos assuntos mais importantes, tende também a contribuir para o excesso de informação.

Comunicação

O ponto de aprendizagem para um líder é quando alcança o equilíbrio certo. Uma das críticas mais comuns que são levantadas, especialmente nas organizações, prende-se com o assunto da comunicação. Quase todas as organizações com que trabalhámos colocaram a comunicação na lista de 'poderia ser melhor'. No entanto, sentimos que o problema não é que a comunicação não aconteça, mas sim que os indivíduos sintam que nem sempre são informados ou consultados sobre os assuntos que os afectam pessoalmente. O equilíbrio é difícil de alcançar, mas o líder eficaz tudo faz para garantir que os colaboradores se sintam informados e consultados acerca dos assuntos que os afectam pessoalmente.

Uma das áreas mais importantes em que a gestão e a informação estão estreitamente ligadas diz respeito ao papel do gestor médio, que assistiu a uma grande transformação na última metade do século XX. Antes da utilização dos computadores estar tão disseminada, o gestor médio era normalmente a fonte de informação dentro das empresas, especialmente ao nível operacional. Com o crescimento do uso de sistemas de computadores em rede e computadores pessoais locais, parece que o gestor médio se tornou numa espécie ameaçada – e isto tornou-se mais evidente com a tendência de as organizações reduzirem as suas hierarquias e se tornarem mais 'planas'.

Intrinsecamente ligado ao tema da informação está a nossa crescente capacidade para comunicar essa informação. Em apenas alguns anos, a indústria da comunicação desenvolveu-se de forma explosiva. Telefones nos automóveis, telemóveis, *pagers*, computadores portáteis, faxes e *modems* deram-nos uma tremenda capacidade para comunicar praticamente de qualquer local do planeta onde estejamos. E isto está a provocar transformações sem precedentes na natureza do trabalho. Em determinados tipos de actividade, deixou de ser necessário que os indivíduos estejam presencialmente no seu local de trabalho todos os dias. Existem actualmente milhares de pessoas em todo o mundo que trabalham, eficazmente, em suas casas, utilizando computadores pessoais, *modems* e faxes.

Isto leva-nos à questão da natureza do trabalho. O que está agora a tornar-se cada vez mais claro é que as pessoas não trabalham simplesmente para ganhar dinheiro, de forma a poderem viver e comer. O trabalho é um ambiente socialmente estimulante para muitos, que satisfaz necessidades sociais e de grupo. A liderança eficaz de trabalhadores por conta própria que operam em casa deve tomar isto em consideração. As chamadas 'organizações virtuais', de indivíduos que trabalham em casa, podem constituir um importante desafio para o líder, particularmente na área da criação de uma equipa, permitindo que as pessoas sintam fazer parte dessa equipa. Com organizações virtuais, é vital que os elementos da equipa se encontrem regularmente de forma a combater o isolamento inerente ao facto de se trabalhar sozinho.

O impacto da tecnologia

Uma das razões pelas quais a nossa capacidade para comunicar aumentou de forma tão intensa prende-se com o progresso tecnológico registado nos últimos anos. Se bem que muito desse progresso pareça começar na indústria espacial e na indústria da Defesa, não existe quase parte alguma da sociedade a nível mundial que não tenha sentido o impacto da tecnologia. Um dos autores esteve em Banguecoque recentemente e ficou fascinado por ver monges budistas noviços a estudarem os ensinamentos de Buda através de um CD-ROM num computador portátil, em vez de o fazerem nos livros da praxe.

Uma tendência-chave na tecnologia parece ser a da miniaturização e micro-miniaturização. Parece que estamos actualmente a fazer as coisas cada vez mais pequenas e ao mesmo tempo com um desempenho cada vez mais melhorado. Isto é particularmente verdade na indústria informática, com a potência dos computadores a parecer duplicar de dois em dois meses. Um moderníssimo computador comprado hoje está virtualmente desactualizado em 90 dias. Do ponto de vista da liderança, existe um ponto associado aos recursos que é levantado pelo rápido ritmo da mudança tecnológica. Deverão os líderes estar sempre na linha da frente da tecnologia, com o risco de terem equipamento pouco seguro que não foi completamente desenvolvido, ou deverão esperar até que os padrões da indústria se desenvolvam, correndo assim o risco de serem deixados para trás na corrida? Não existe uma resposta simples para esta questão. Cada indústria tem as suas próprias preocupações e são estes pontos que, em último lugar, determinam a altura adequada para adoptar novas abordagens tecnológicas.

Concorrência global

O quinto dos nossos motores-chave baseia-se nos quatro anteriores. Uma vez que existem cada vez mais pessoas que partilham e comunicam a informação utilizando uma vasta gama de tecnologia moderna, o mundo tornou-se efectivamente mais pequeno em termos de mercados e concorrentes perceptíveis. Os concorrentes deixaram de estar sedeados na mesma região geográfica, no mesmo país ou no mesmo continente. Todos os negócios têm potenciais concorrentes de todo o mundo. Uma empresa no Sul de Inglaterra manda imprimir os cartões comerciais na Índia porque o preço é substancialmente menor e têm a mesma qualidade do que a de um fornecedor britânico local. Num outro caso, uma firma de contabilidade do Reino Unido recorre a um serviço contabilístico na Ásia que faz uma utilização exaustiva da Internet e dos *e-mails* para comunicar.

Uma das principais razões para estes exemplos, que são apenas dois de muitos, é o evidente diferencial entre as taxas salariais do Ocidente por comparação com as do Oriente. Os gestores de compras cada vez se questionam mais sobre onde podem obter a qualidade exigida de um produto ou serviço ao preço mais baixo. As taxas salariais sobre umas quantas libras esterlinas, em vez de centenas de libras, por hora, fazem uma considerável diferença; na verdade, mais do que suficiente para compensar os custos de transporte. E isto vai tornar-se um desafio cada vez maior para a indústria ocidental, à medida que nos direccionamos para as indústrias baseadas no conhecimento em vez das baseadas nos produtos.

A transição do Ocidente para o Oriente

Nos últimos anos, os países da orla do Pacífico conquistaram uma presença cada vez maior no mercado mundial. Apesar dos seus problemas financeiros de finais dos anos 90, existem inúmeras forças fundamentais em jogo na Ásia e na orla do Pacífico, o que significa que o Ocidente tem de levar a sério a chamada 'ameaça do Oriente'.

Existem várias tendências interessantes que podemos identificar em toda a orla do Pacífico. Em primeiro lugar, muitos países, como o Japão e a Tailândia, estão a deixar de ser liderados pelas exportações para passarem a ser liderados pelo consumidor. Os seus mercados internos estão a crescer e parece estar a ser dada uma ênfase crescente à sua satisfação. As mulheres aparecem cada vez mais destacadas em lugares de topo ao nível da gestão – além do facto de 2,8 milhões de mulheres japonesas gerirem empresas no final dos anos 90, contra uma pequena fracção desse número apenas dez anos antes.

Nos países ocidentais, onde se incluem os da Europa e os Estados Unidos, tendemos a substituir as pessoas pela tecnologia. Em contrapartida, no Oriente, as novas tecnologias são adoptadas, mas ao mesmo tempo mantém-se, ou até se intensifica, o lema 'as pessoas contam' na empresa. Basta chegar à recepção de um grande hotel asiático para nos apercebermos do considerável número de empregados prontos a ajudar-nos. Na maior parte dos hotéis ocidentais, o que é difícil é encontrar alguém!

Estamos conscientes de que muitos países, como é o caso do Egipto, têm uma política oficial de que ninguém pode estar desempregado. No entanto, poderíamos argumentar que existe um tema básico, que é o facto de no Ocidente talvez termos sido mal orientados nas nossas tentativas para criar uma eficiência óptima por empregado. Considerando esta abordagem, perdemos a qualidade de serviço associada ao facto de existirem muitos empregados prontos a servirem o cliente.

Muitas empresas asiáticas focam agora as suas atenções na expansão de redes para os seus negócios em vez de simplesmente desenvolverem a sua própria identidade nacional. E, em parte, como resultado deste desenvolvimento, a liderança intelectual parece agora ser partilhada um pouco mais em todo o mundo, deixando de ser simplesmente criada no Ocidente. Um exemplo desta realidade tem sido a indústria automóvel.

Nos anos 70, era evidente que os japoneses se esforçavam muito por imitar os produtos ocidentais. A Honda, Toyota e Mitsubishi pareciam criar réplicas dos produtos provenientes de fabricantes como a Ford, Leyland e General Motors. Contudo, as suas imitações eram mais seguras e, em muitos aspectos, de maior qualidade do que os originais e, consequentemente, começaram a ganhar mais quota de mercado. No fim de contas, o Ocidente apercebeu-se da ameaça e vemos agora muitos fabricantes ocidentais de veículos ligeiros e pesados que copiam as ideias e características de produtos orientais. Além disso, ocorreram muitas alianças (tal como a Rover e a Honda) e verificou-se que inúmeros fabricantes nipónicos, como é o caso da Nissan, começaram a implantar fábricas tanto na Europa como nos Estados Unidos.

No Oriente estamos a assistir ao aparecimento de supercidades, como Xangai, Singapura, Hong-Kong e Banguecoque. A Ásia deixou de ser um conjunto de aldeias rurais e conta cada vez mais com grandes sistemas urbanos com hotéis de elevada qualidade e outras características que atraem simultaneamente negócios e visitantes.

Vemos como estudantes universitários se transformam em empreendedores e aplicam os seus conhecimentos de forma muito mais enérgica do que parece ser o caso em muitas regiões da Europa. Assistimos à passagem da cópia para a criação, bem como a uma intensa paixão e empenho em ser bem sucedido. A prestação de serviços é algo que orgulha muitas culturas asiáticas, o que leva a uma atitude bastante positiva em termos de serviço ao cliente.

Apesar dos desafios financeiros que se colocam aos países da orla do Pacífico, os factores subjacentes salientados talham o Oriente para se tornar num interlocutor importante em termos de concorrência global, e esta tendência deve ser levada bastante a sério pelo Ocidente. Na qualidade de Motor da Mudança externo fundamental, a concorrência global tem sido uma força determinante no mercado, pelo que, em seguida, avaliaremos o impacto deste e dos outros quatro motores nas organizações ocidentais.

Como as organizações responderam aos cinco Motores-chave da Mudança

Qual tem sido então o impacto destes cinco Motores-chave da Mudança nas nossas organizações?

Se analisássemos uma grande organização tradicional dos anos 70, o mais normal era depararmo-nos com toda uma hierarquia envolvida na forma como o negócio era organizado. A tónica era posta na previsibilidade, rigidez, permanência e certeza. Qualquer mudança era muito ponderada, avaliada e acontecia com pequenos incrementos, em vez de passos drásticos. Esta forma de actuação foi agora substituída pela insegurança, turbulência e incerteza, uma vez que nos estamos a tornar cada vez mais conscientes de que o futuro não vai ser como o passado. Como exemplo, consideremos o caso da IBM, a gigantesca empresa de computadores. Nos anos 70, a IBM era merecidamente citada como uma organização-modelo; era orientada por valores e inspirava confiança tanto nos consumidores como nos trabalhadores. Na realidade, uma expressão comum na década de 70 era 'nunca ninguém foi despedido por comprar um IBM'! No entanto, na década seguinte, foi a IBM que falhou, ao não identificar o potencial maciço do mercado dos computadores pessoais. Nos anos 90, recuperaram de uma das maiores perdas financeiras da história empresarial. A lição foi aprendida e a IBM caminha agora na via do contínuo sucesso, ao compreender que ninguém pode descansar sob os louros ou tomar algo como garantido.

Da quantidade para a qualidade

Assistimos a uma mudança da quantidade para a qualidade. Muitos produtores começaram a orientar os seus negócios para o mercado em vez de os orientarem para a produção. Já não chega fazer algo e tentar vendê-lo. Uma das chaves do sucesso nos negócios é descobrir o que o consumidor deseja e necessita – e satisfazer esses requisitos melhor do que a concorrência.

Resumindo, assistimos a uma mudança por parte das organizações bem sucedidas, que deixaram de se focar nos seus procedimentos internos para dar uma maior ênfase às suas relações externas. Isto é particularmente notório nas que actualmente têm consumidores mais exigentes do que no passado (em parte também porque estes têm um mais vasto leque de escolha de fornecedores).

Excelência organizacional como Motor da Mudança

Analisemos a ideia de a organização se concentrar na forma como pode ser mais eficaz, especialmente nas suas relações com o mundo à sua volta. Na segunda metade do século XX, muito se pensou sobre o que agora chamamos de 'Excelência Organizacional', ou seja, quão eficaz a organização é na forma como opera. Apesar de, em última instância, o objectivo de todas as organizações ser sobreviver e crescer, cada vez mais se acha que não é apenas a sobrevivência que conta. O que é realmente importante é ser melhor do que a concorrência numa série de parâmetros. Até aos anos 80, esses parâmetros eram primordialmente financeiros, com rácios como retorno do investimento, taxas de crescimento, volume de negócios e lucro, e por aí adiante. Como exemplo deste enfoque financeiro, durante cerca de 25 anos, a General Electric Company mediu o seu sucesso através de sete rácios e doze linhas orientadoras, quase todas de natureza financeira.

Os sete rácios eram:

→ lucros/vendas
→ vendas/capital utilizado
→ lucro/capital utilizado
→ vendas/inventários
→ vendas/devedores
→ vendas/número de empregados
→ vendas por libras/dólares de emolumentos

Para além disto, as linhas de tendência de monotorização eram:

→ vendas em libras/dólares
→ encomendas recebidas
→ encomendas em mãos
→ lucro líquido
→ ordenados directos
→ despesas excessivas
→ capital utilizado
→ nível dos stocks
→ devedores comerciais
→ número de empregados directos e indirectos
→ média de salários por hora de trabalho directo
→ vendas para exportações

(retirado do perspicaz livro de Bob Garratt intitulado *The Fish Rots from the Head*)[6]

A partir dos anos 80, no entanto, outros factores surgem na criação de uma empresa de excelência. Verificou-se uma mudança cabal, passando-se da valorização das chamadas questões sérias (tais como estas medidas financeiras) para a valorização das questões ligeiras (das pessoas, valores e satisfação, tanto para empregados como clientes). Pode afirmar-se que um dos factores para esta mudança foi o livro *Na Senda da Excelência*[1], de Tom Peters, publicado pela primeira vez em 1982. À altura, Peters afirmou que a característica mais notável do livro era os títulos dos capítulos se centrarem nas pessoas e nos consumidores e não nas questões financeiras.

Se começarmos a pensar na mudança motivada internamente, é útil, portanto, pensar em algumas das ideias que foram avançadas como indicadores de excelência organizacional. Se bem que nenhum modelo simples sirva para todos os negócios ou cenários organizacionais, há temas comuns que podem ser refinados num enquadramento útil que depois pode ser aplicado ao mundo real. Portanto, uma das principais fontes de mudança impulsionada do interior é a de a organização em si determinar tornar-se excelente seguindo uma série de factores prescritos. Nesta fase, vamos analisar alguns destes factores e depois reduzi-los para formar o enquadramento final.

Se pensarmos no que caracteriza uma empresa bem sucedida 'saudável', lembramo-nos de vários factores. Primeiro, estas organizações invariavelmente têm um sentido de objectivo, normalmente articulado através de uma missão, visão ou afirmação de valores. Os líderes normalmente têm visibilidade dentro da organização e a estrutura condiz com as estratégias, em termos do que se está a tentar alcançar. Os empregados sentem-se donos dos seus empregos e as decisões são tomadas ao nível mais baixo da hierarquia.

Os níveis de motivação são normalmente elevados, especialmente porque as recompensas estão muitas vezes associadas aos resultados. A comunicação é aberta e os diferendos são resolvidos em fóruns abertos em vez de serem 'varridos para debaixo do tapete' ou virem a degenerar em politiquices. Quando persegue energicamente a realização da sua visão, a organização está agarrada à realidade e totalmente consciente do mundo à sua volta. Gere correctamente as suas fronteiras, incluindo as fronteiras com os clientes, os fornecedores e o mundo em geral. Podemos expandir esta percepção generalizada da 'organização saudável' para um enquadramento mais detalhado sobre o qual os autores deste livro adquiriram uma experiência considerável, num leque variado de organizações.

O que concluímos foi que as empresas 'bem sucedidas' dão atenção a uma série de questões-chave, tal como mostrámos no Quadro 2.1. Apesar de esta parecer uma lista bastante assustadora, é totalmente pragmática e fornece um ponto de partida para que a mudança numa organização seja motivada internamente.

Talvez seja a questão dos 'valores' a mais frequentemente subestimada. Por 'valores', entendemos as ideias que sentimos serem importantes dentro da empresa

QUADRO 2.1 AS MARCAS DA EXCELÊNCIA

1 Criar declarações eficazes de missão, visão e valores.

2 Planeamento estratégico e integrado.

3 Questões relacionadas com os clientes, internos e externos.

4 Como se pode desenvolver e aprender.

5 Como possibilitar e gerir a mudança de forma eficaz.

6 Como criar contínuas melhorias a todos os níveis.

7 Aderir aos valores definidos.

8 Gestão de tempo e focalização pessoal em todas as pessoas da organização.

9 Resolução de problemas de forma inovadora e criativa a todos os níveis.

10 Comunicação eficaz no sentido ascendente, descendente, lateral e diagonal.

11 Conduzir uma operação de forma integrada e eliminar todas as barreiras entre os vários departamentos dentro da organização.

12 Desenvolver gestores como orientadores (*coaches*) e facilitadores, em vez de patrões.

13 Identificar e desenvolver competências a todos os níveis.

14 Estabelecer objectivos e metas a todos os níveis.

15 Criar a atmosfera, cultura e climas certos:
→ comunicação aberta
→ criar confiança
→ produzir lealdade

16 Permitir que as pessoas gostem do seu trabalho.

17 Estar consciente do impacto dos comportamentos que demonstram a extensão do valor das pessoas.

18 O poder dos modelos de comportamento.

19 Rever o conjunto de valores estabelecidos durante a tentativa de resolução de problemas.

20 Produzir o desejo de ser o melhor naquilo que se faz a todos os níveis do grupo de trabalhadores.

no que diz respeito à forma como esta gere os seus negócios. Muitos são incapazes de compreender a importância das questões relacionadas com os valores, especialmente a vivência diária dos valores através de comportamentos. Na nossa experiência, deparámos com variadas organizações que incluíam na sua declaração de valores afirmações como 'os nossos trabalhadores são o nosso activo mais importante'. No entanto, se houver alguma quebra no negócio, grande parte das vezes estas são as empresas que estão imediatamente prontas a fazer sentir a um número considerável de trabalhadores que são dispensáveis, para assim poderem reduzir custos a curto prazo. A verdadeira medida de apreciação do valor dentro de uma organização não é o que diz, mas o que realmente faz!

Portanto, quais são os valores de uma organização que parecem sustentar excelentes desempenhos? Apesar de não haver uma única lista perfeita, os valores apontados no Quadro 2.2 costumam aparecer sempre, de uma maneira ou de outra.

QUADRO 2.2 UMA ORGANIZAÇÃO GERIDA POR VALORES

1 Lideramos dando o exemplo e agimos como bons modelos.
2 Valorizamos os clientes externos e trabalhamos sempre no seu melhor interesse.
3 Valorizamos o grupo de trabalho e trabalhamos para o ajudar a ser o mais eficaz possível.
4 Trabalhamos de forma a criar comunicações abertas e eficazes em todas as direcções.
5 Tentamos promover uma atmosfera de honestidade, confiança e abertura, agindo com integridade.
6 Encorajamos as pessoas a serem bem sucedidas ao reconhecermos os seus esforços.
7 Trabalhamos sempre no sentido de melhorar a forma como se fazem as coisas.
8 Tentamos fortalecer a auto-estima de todos aqueles que trabalham na organização.
9 Tentamos ajudar as pessoas a sentirem-se bem com elas próprias e, ao fazê-lo, encorajá-las a darem o seu melhor desempenho diariamente.
10 Compreendemos o poder dos rumores e dos boatos.
11 Somos consistentes na nossa abordagem a situações desafiantes, nas quais vivemos segundo os nossos valores. Ou seja, agimos de acordo com o que pregamos.
12 Tentamos criar uma atmosfera onde as pessoas gostem do seu próprio trabalho.

Apesar do processo de implementação de alguns ou de todos estes valores ser assustador, é um processo importante. O que, no entanto, é ainda mais importante, é garantir que os gestores seniores, em particular, adiram ao conjunto de valores estabelecido através do comportamento, e não apenas através da retórica.

QUADRO 2.3 NA SENDA DA EXCELÊNCIA

IN *SEARCH OF EXCELLENCE* (TOM PETERS)

1 Com base na acção
2 Proximidade com os clientes
3 Encorajar a iniciativa
4 Ter pessoas produtivas
5 Ser gerida por valores
6 Concentrar-se no que faz melhor
7 Estrutura simples
8 Actuação flexível/rígida

Os valores sustentam a excelência organizacional. O Quadro 2.3 enumera as ideias iniciais avançadas por Tom Peters em *Na Senda da Excelência*. Pouco depois do livro de Peters ter sido publicado, dois escritores britânicos, Walter Goldsmith e David Clutterbuck[8], levaram a cabo uma investigação sobre o que faz com que as empresas britânicas sejam bem sucedidas. Um conjunto de factores, de alguma forma diferente, emerge, tal como mostra o Quadro 2.4.

QUADRO 2.4 OS ELEMENTOS VENCEDORES

THE WINNING STREAK (WALTER GOLDSMITH E DAVID CLUTTERBUCK)

1 Liderança – visibilidade
2 Autonomia e iniciativa
3 Controlo
4 Envolvimento, comunicação e desenvolvimento das pessoas
5 Orientação para o mercado
6 Concentração e correcta concretização das coisas simples
7 Inovação
8 Integridade – clientes, empregados, fornecedores e público em geral

Consequentemente, foi interessante reparar que um número considerável de empresas citadas como exemplos de excelência por Peters (como por exemplo *People's Express*) enfrentaram dificuldades durante a década de 80, apesar de terem mostrado algumas ou todas as características de excelência. Peters tem uma explicação muito plausível para esta situação. Quando foi feita a investigação inicial para o livro, durante a década de 70, o mundo tinha um ambiente mais estável, com tendências de custos e estimativas de mercados mais previsíveis. Durante os anos 80, o mundo tornou-se instável, tanto em termos políticos como comerciais, e o modelo de excelência avançado por Peters não teve em conta a questão da mudança. No seu livro posterior, *Thriving on Chaos*[9], avançou uma abordagem muito mais simples à

QUADRO 2.5 FLORESCER NO CAOS

THRIVING ON CHAOS (TOM PETERS)

1 Clientes
2 Inovação
3 Delegação de poder *(empowering)*
4 Liderança apropriada a todos os níveis
5 Sistemas que funcionam

excelência da gestão que realçava a capacidade de a organização lidar eficazmente com a mudança. O Quadro 2.5 mostra os cinco factores que Peters sugeriu que sustentariam a receita para uma revolução da gestão. Em muitos aspectos, este provou ser um dos modelos mais úteis 'centrados na mudança' – e parece ter tido um impacto considerável nos gestores de todo o mundo.

A liderança eficaz da mudança motivada do interior não é apenas da esfera dos especialistas em desenvolvimento organizacional. O Movimento da Qualidade Total *(Total Quality Movement)* e as consequentes abordagens de contínua melhoria do desempenho forneceram-nos um sistema útil de abordagem à excelência empresarial. A Figura 2.3 é baseada no modelo produzido pela Fundação Britânica da Qualidade e é importante porque mostra a liderança eficaz como sendo o principal motor para a excelência organizacional. Tomámos a liberdade de modificar alguns dos quadros nas caixas para reflectir a nossa ideia de que a qualidade não se reduz a 'sistemas', mas sim a uma mistura de sinergias entre 'paixão e sistemas'!

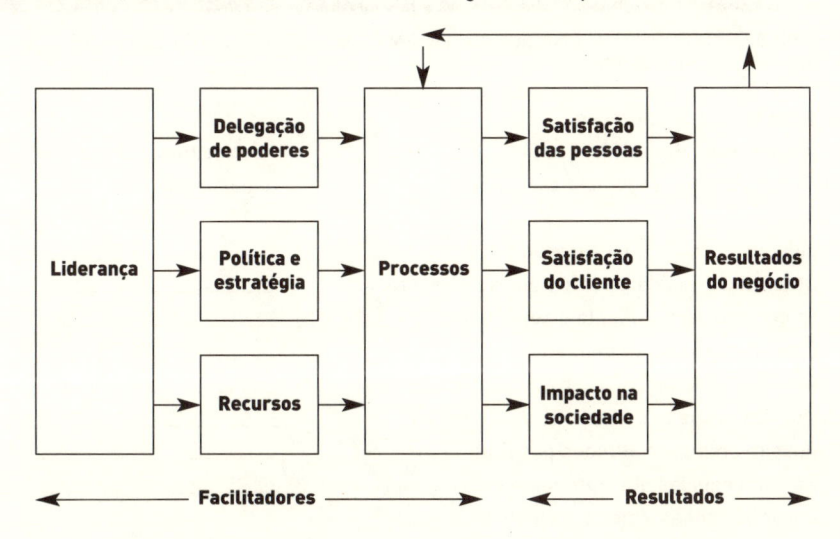

Figura 2.3 O desenvolvimento de um modelo de excelência empresarial

Podemos ver que até num mundo orientado estatisticamente para a qualidade total, a excelência organizacional é desencadeada por uma liderança eficaz, que inclui definir uma visão, criar uma razão de ser, incluindo uma declaração de objectivos, identificar e trabalhar de acordo com um conjunto de valores acordados e, no fundo, agir de forma a mostrar o respeito por esses valores.

Assim, com todas estas tentativas de definir um enquadramento para a mudança que desencadeia a mudança internamente, onde é que estamos? Realmente parece que os vários modelos de excelência organizacional cobrem parcialmente as mesmas áreas. Por isso, propomos um modelo compósito a que chamamos 'Perfil de Categoria Internacional', que sugere dez áreas-chave que as organizações devem ter em conta se quiserem responder eficazmente aos cinco Motores externos de Mudança: as pessoas, a informação, a comunicação, a tecnologia e a concorrência global. O Quadro 2.6 mostra o Perfil de Categoria Internacional sob a forma de um questionário que pode ser utilizado para se ter uma percepção comum dentro de uma equipa de gestão de:

1   Quão boa é a organização, actualmente, em cada uma das dimensões, e
2   Se está a melhorar nessas dimensões.

O Perfil de Categoria Internacional contempla cinco questões empresariais-chave e cinco questões humanas.

QUADRO 2.6 PERFIL DE CATEGORIA INTERNACIONAL

O PERFIL DE CATEGORIA INTERNACIONAL TEM EM CONTA AS SEGUINTES QUESTÕES EMPRESARIAIS E HUMANAS:

Pensando na sua organização,
que classificação, de 1 a 10,   Nesta altura   Hoje
daria a cada um dos seguintes aspectos....   ano passado

		Nesta altura ano passado	Hoje
1	Liderança, chefia e focalização	_____	_____
2	Organização sólida e competência financeira	_____	_____
3	Orientação para o cliente e comunicação	_____	_____
4	É sensível ao seu ambiente	_____	_____
5	Antecipa a mudança, acolhe a mudança e inova	_____	_____
6	Valoriza, respeita e desenvolve as pessoas	_____	_____
7	Respira crenças e atitudes positivas	_____	_____
8	Constrói equipas que aprendem em conjunto	_____	_____
9	Encoraja pensamentos sistemáticos e gosta que as pessoas pensem 'fora da caixa'	_____	_____
10	É um bom sítio para se estar	_____	_____

	ANO PASSADO	AGORA
RESULTADOS FINAIS/100	_____	_____

É necessário sublinhar que o perfil se prende essencialmente com o 'enquadramento geral'. Cada um dos itens pode ser alvo de uma considerável subdivisão e expansão, de acordo com as necessidades de cada organização.

Tanto a liderança como a gestão são ponderadas nas duas primeiras dimensões e o ponto 3 avalia até que ponto as empresas estão focalizadas nos seus clientes. O ponto 3 não se refere necessariamente apenas aos clientes externos, podendo incluir também aspectos relacionados com os clientes internos. A relação entre departamentos dentro da mesma empresa é muitas vezes pior do que entre esta e os seus concorrentes. É portanto vital garantir que os departamentos cooperem eficazmente no dia-a-dia.

O ponto 4 aborda a questão da sensibilidade face ao ambiente em geral, onde a organização se encontra imersa. Não se trata apenas do ambiente de mercado mas inclui também os cinco motores-chave já debatidos. Muito em especial, os motores social, político e tecnológico devem ser continuamente monitorizados para garantir que a organização mantém e desenvolve a sua posição, e isto leva, naturalmente, ao ponto 5, que analisa a gestão eficaz da mudança.

As questões humanas são tidas em conta do ponto 6 ao 10. Em particular, a noção de valorização, respeito e desenvolvimento pessoal dos colaboradores é uma área fundamental. No Reino Unido tem sido feito um esforço real nesta área através do programa Investidores nas Pessoas *(Investors in People)*, que estabelece padrões de desempenho para desenvolver o grupo de colaboradores. A questão é mais complexa do que parece à primeira vista. Estamos a caminhar para um mundo onde o conhecimento e o capital intelectual são provavelmente os activos mais importantes que uma organização pode deter. Em vez de olhar as pessoas como um custo que tem de ser minimizado, a ênfase é cada vez mais posta em olhar para os recursos humanos como um activo que deve ser desenvolvido. O Quadro 2.7 define as áreas que são identificadas nos Padrões Nacionais para Investidores nas Pessoas.

QUADRO 2.7 OS INVESTIDORES BRITÂNICOS NA ABORDAGEM DAS PESSOAS

PADRÕES PARA OS INVESTIDORES BRITÂNICOS RELATIVAMENTE AO *PEOPLE AWARD*

Estes giram à volta de uma série de assuntos-chave:

1.1 O empenho dos gestores de topo em formar e desenvolver os empregados é comunicado por toda a organização.

1.2 Os colaboradores, de todos os níveis hierárquicos, estão conscientes dos objectivos gerais ou da visão da organização.

1.3 A organização considera que todos os seus colaboradores vão contribuir para o sucesso da organização e já lhes comunicou isso.

1.4 Quando existem estruturas representativas, há comunicação entre os gestores e os representantes sobre para onde a organização caminha, bem como sobre a contribuição que os colaboradores terão para o seu sucesso.

2.1 Um plano escrito, mas flexível, estabelece os objectivos e metas da organização.

2.2 Um plano escrito identifica as necessidades de formação e desenvolvimento da organização e especifica que acções vão ser tomadas para satisfazer estas necessidades.

2.3 As necessidades de formação e desenvolvimento são revistas regularmente tendo em conta objectivos e metas na organização, na equipa e a nível individual.

2.4 Um plano escrito identifica os recursos que vão ser utilizados para satisfazer as necessidades de formação e desenvolvimento.

2.5 A responsabilidade de formar e desenvolver os colaboradores é claramente identificada e compreendida em toda a organização, a começar pelo topo.

2.6 São estabelecidos objectivos para as acções de formação e desenvolvimento na organização, na equipa e a nível individual.

2.7 Quando apropriado, os objectivos da formação e desenvolvimento devem ser relacionados com padrões externos, como as Qualificações Profissionais Nacionais (NVQ) ou as Qualificações Profissionais Escocesas (SVQ), e unidades.

3.1 Todos os novos colaboradores são inseridos eficazmente na organização e todos os colaboradores que se iniciem numa nova função recebem a formação e desenvolvimento de que necessitam para fazer esse trabalho.

3.2 Os gestores são eficazes na concretização das suas responsabilidades em termos de formação e desenvolvimento dos colaboradores.

3.3 Os gestores estão activamente envolvidos no apoio dos colaboradores para satisfazerem as suas necessidades de formação e desenvolvimento.

3.4 Todos os colaboradores estão conscientes das oportunidades de formação e desenvolvimento pessoal que estão ao seu dispor.

3.5 Todos os colaboradores são encorajados a ajudar a identificar e satisfazer as necessidades de formação e desenvolvimento relacionadas com o seu trabalho.

3.6 Tomam-se medidas para satisfazer as necessidades de formação e desenvolvimento dos indivíduos, equipas e organização.

4.1 A organização avalia o impacto das acções de formação e desenvolvimento no que respeita a conhecimentos, competências e atitudes.

4.2 A organização avalia o impacto das acções de formação e desenvolvimento no desempenho.

4.3 A organização avalia a contribuição das acções de formação e desenvolvimento no cumprimento dos seus objectivos e metas.

4.4 Os gestores de topo compreendem, em geral, os custos e benefícios inerentes à formação e desenvolvimento pessoal dos colaboradores.

4.5 Tomam-se medidas para implementar as melhorias ao nível da formação e desenvolvimento pessoal que tenham sido identificadas em resultado de uma avaliação.

4.6 O empenho contínuo dos gestores de topo para formar e desenvolver os colaboradores é demonstrado a todos os colaboradores.

Os Quadros 2.6 e 2.7 são uma referência útil para a gestão de topo identificar até que ponto acredita realmente no desenvolvimento dos colaboradores.

Criar um ambiente no qual as pessoas têm convicções e atitudes positivas em relação ao seu trabalho é importante, estando esse elemento incluído no ponto 7 do Quadro 2.6. O Movimento da Qualidade Total *(Total Quality Movement)* começou, essencialmente, por se preocupar com a qualidade de sistemas e instrumentos, como o controlo do processo estatístico, por exemplo. No entanto, tem sido diversas vezes demonstrado que os Programas de Qualidade Total *(Total Quality Programmes)* têm uma elevada taxa de insucesso, cerca de 85%, a não ser que a variável humana seja tida em conta de forma correcta. Qualidade, como Tom Peters diz, é sistema mais paixão. É a criação de paixão que constitui o real desafio, e as paixões resultam de convicções positivas que se traduzem em atitudes positivas para trabalhar para a qualidade, produzindo igualmente excelentes resultados em todas as áreas da vida organizacional.

A importância e o poder de um eficaz trabalho em equipa já foram mencionados. As equipas que trabalham bem em conjunto tendem a lidar bem com a pressão e a produzir excelentes resultados quando comparadas com a actividade isolada e grupos disfuncionais. Mas, grande parte das vezes a questão do trabalho em equipa é restringida à actuação da linha da frente, ou seja, serviços de equipas, equipas de produção e actividades fabris como unidades transformadoras. A realidade, claro, é que o trabalho em equipa se torna cada vez mais importante à medida que se sobe na hierarquia de uma organização. Jon Katzenbach, no seu artigo 'The Myth of the Management Team'[10], sublinhou isto de forma muito convincente. É uma tristeza que, na maior parte dos negócios, quanto mais alto se sobe numa organização, menor seja o trabalho em equipa e maior a frequência de guerras políticas. Os elementos dos Conselhos de Administração, presidentes e vice-presidentes necessitam ainda mais das capacidades de um trabalho em equipa eficaz do que os colaboradores da linha da frente, se a organização funcionar eficazmente.

O ponto 9 do Perfil de Categoria Internacional refere-se à criatividade empresarial. A maior parte das pessoas tende a concentrar-se demasiado na sua parte específica da organização. Peter Senge salientou este aspecto de forma muito gráfica em *The Fifth Discipline* com o seu conceito do Jogo da Cerveja. Resumindo, este exercício é um *case study* fictício de uma marca particular de cerveja para a qual de repente surge uma enorme procura no mercado porque essa cerveja apareceu num teledisco de música pop. Vários indivíduos desempenham os papéis de retalhistas, grossistas, distribuidores e do fabricante da cerveja que não previram a procura do produto. Num espaço de tempo relativamente curto, todos os intervenientes são acometidos por acções de pânico para defenderem as suas próprias posições e gera-se uma crise num nicho onde, inicialmente, existe uma falha no fornecimento ao mercado. Em última análise, o sistema acaba por produzir em excesso quando a procura do mercado abrandou e todos se culpam uns aos outros pela consequente falta de firmeza. Apesar de o Jogo da Cerveja conter muitas lições, uma das principais é que todos temos de analisar o quadro geral antes de fazer uma mudança e ter em conta como essa alteração vai afectar os nossos colegas. A expressão 'pensar fora da caixa' está relacionada com a ideia de que, muitas vezes, é como se estivéssemos encurralados dentro de uma caixa organizacional específica, incapazes de analisar as situações do ponto de vista dos outros.

Finalmente, o décimo ponto é inerentemente impossível de definir cientificamente. A noção do local de trabalho ser 'um sítio agradável para se estar' é contrária ao conceito sobre a natureza do trabalho. Para boa parte das pessoas, o trabalho é uma nuvem negra onde se entra segunda-feira de manhã, que se aguenta durante cinco dias e de onde depois nos tentamos libertar o mais depressa possível na sexta-feira à tarde. Dificilmente será esta a forma de criar excelência organizacional. Precisamos de criar postos de trabalho em que as pessoas gostem do que fazem e onde anseiem por estar todos os dias. Apesar de este aspecto do trabalho não ter merecido muita atenção no passado, é talvez a questão mais importante relacionada com o local de trabalho que é necessário analisar, especialmente tendo em conta os números amplamente publicitados sobre o custo do stress no local de trabalho.

Até agora, temos olhado para os Motores da Mudança organizacional do ponto de vista da mudança motivada pelo exterior, motores esses que resultam da percepção do líder quanto às mudanças internas que devem ocorrer para permitirem à empresa adaptar-se ao que a rodeia. É interessante, neste ponto, identificar alguns aspectos da mudança e as questões de liderança envolvidas.

Em primeiro lugar, o que funciona numa organização num determinado momento não funciona necessariamente num outro sítio e numa outra altura. Não há regras simples e rápidas sobre o que vai ou não funcionar. A competência da liderança é identificar as áreas mais promissoras, iniciar algumas mudanças, observar os resultados e depois modificar o programa de mudanças caso seja necessário. Em segundo lugar, já não somos uma 'economia gorda'. Já não temos dinheiro em excesso e somos obrigados a estabelecer prioridades. Em terceiro lugar, ao influenciar os outros a aceitar a mudança, a promoção já não está tão imediatamente disponível como sistema de recompensa. Os líderes precisam de ser capazes de persuadir as pessoas a segui-los, oferecendo outras recompensas que não as puramente financeiras.

Parecem existir dilemas significativos que os líderes necessitam de enfrentar quando lidam com os Motores da Mudança.

Primeiro, há a necessidade de experimentação *versus* a necessidade de ter razão. Ao assumir riscos no desenvolvimento de um programa de mudança, deparamo-nos frequentemente com aquilo a que se chama a Lei de Murphy – se uma coisa pode correr mal, vai correr mal! Muitas vezes parece ser o aspecto que se decidiu ignorar que acaba por se revelar o factor mais importante. O Quadro 2.8 lembra-nos, de forma animada, alguns dos obstáculos humanos à mudança!

Identificar o momento exacto para começar é uma capacidade-chave. É frequente haver um conflito entre a ideia de liderança poderosa *versus* seguidores a quem foi delegado poder. Até que ponto deve um líder dar orientações pormenorizadas? Até que ponto ele ou ela deve tentar obter o alinhamento por parte dos colaboradores de uma forma voluntária, em vez de ser através da força?

É importante continuar a gerir o presente e simultaneamente gerir a mudança – e gerir também o tempo dispendido em cada uma destas áreas vitais.

Lidar com o ambiente circundante e, ao mesmo tempo, construir a organização do ponto de vista interno, criando também uma organização internamente saudável orientada para o mercado, é uma questão-chave que deve ser tida em conta.

QUADRO 2.8 OBSTÁCULOS HUMANOS À CRIAÇÃO DA MUDANÇA

Há sempre muitas razões para não mudar ainda:

→ 'Não é o momento certo'
→ 'Não temos os recursos certos'
→ 'No próximo ano vai ser melhor'
→ 'Precisamos de mais informação'
→ 'Precisamos de um comité para analisar o assunto'

Por último, toda a área das convicções é importante. Até que ponto simples convicções podem ser adaptadas a questões complexas? O que é mais importante, os pormenores ou uma visão mais ampla?

Ao criar a mudança, há valores que entram em conflito?

Não há dúvida de que uma consciência plena dos Motores da Mudança, tanto internos como externos, a par de um processo decisório adequado em termos de mudança voluntária e forçada, é vital para um processo de liderança eficaz.

Talvez a chave para a liderança eficaz, no futuro, esteja mais na linha do modelo da 'Liderança Persuasiva', sugerida por Jay Conger, que já mencionámos. Conger, ao estudar 23 líderes executivos de negócios, por um período de doze anos, descobriu que todos possuem em comum quatro características. Primeiro, são credíveis, partindo de uma base de conhecimentos sólida e justificando qualquer mudança na forma de abordagem. Em segundo lugar, procuravam as áreas comuns, áreas de acordo mútuo, com os indivíduos que estavam a tentar influenciar. Isto é vital se queremos ultrapassar as convicções negativas com que muitas vezes nos deparamos em grandes programas de mudança. Uma terceira área era a apresentação eficaz de provas e o uso da linguagem. Estes pontos, uma vez mais, estão relacionados com a importância do líder como comunicador. Por último, o líder deve ter uma boa compreensão do quadro emocional no qual qualquer mudança tem lugar. Uma vez mais, a questão da Inteligência Emocional torna-se relevante. Os seres humanos são criaturas emocionais e os líderes eficazes da mudança têm de ter isso em conta.

Sumário

Assim sendo, para resumir, o que podemos concluir das nossas considerações sobre Motores da Mudança? Primeiro, a mudança pode ser voluntária, forçada ou uma combinação de ambas, e pode ser motivada interna ou externamente. É conveniente mostrar isto como uma matriz de quatro entradas, em que cada um dos elementos tem os seus desafios particulares. Seja qual for a natureza do desafio, a chave para criar uma paixão pela mudança em toda a organização está na liderança inteligente e na aplicação eficaz dos princípios da Inteligência Emocional. A liderança já não é comando, controlo e forçar as pessoas a conformarem-se. É conquistar corações e mentes através de uma eficaz liderança persuasiva, utilizando as relações e as capacidades de comunicação, e é também analisar as situações do ponto de vista das outras pessoas. Os cinco principais núcleos da mudança – que se traduzem por pessoas, informação, comunicação, tecnologia e concorrência global – vieram para ficar. Estes são os Motores-chave da Mudança e são aquilo que um líder inteligente tem de alcançar, para depois utilizar de forma a conseguir obter alguma vantagem.

Se, tal como os líderes, criarmos uma visão consistente do futuro, motivada por valores e levando em conta os Factores de Categoria Internacional, então podemos controlar o poder dos Motores da Mudança em vez de lutar contra eles.

Lidar com os Motores-chave da Mudança e as respostas humanas que lhes estão associadas é uma questão de persuasão, e Jay Conger deu-nos um sinal útil na sua abordagem, dividida em quatro partes, de como ganhar credibilidade, estabelecer uma base comum, apresentar provas e conquistar uma sólida compreensão do enquadramento emocional no qual um programa de mudança está a ter lugar.

Notas de rodapé

1 Alan Hooper e John Potter (1997), *The Business of Leadership*, Ashgate
2 Charles Handy (1994), *The Empty Raincoat*, Hutchinson (*A Era do Paradoxo*, Ed. CETOP)
3 Daniel Goleman (1996), *Emotional Intelligence*, Bloomsbury (*Inteligência Emocional*, Ed. Temas e Debates)
4 Peter Senge (1990), *The Fifth Discipline*, Century Business
5 Peter Senge (1999), *The Dance of Change*, Nicolas Brealey
6 Bob Garratt (1996), *The Fish Rots from the Head*, HarperCollins
7 Tom Peters (1987), *In Search of Excellence*, Harper & Row (*Na Senda da Excelência*, Publicações Dom Quixote)
8 Walter Goldsmith & David Clutterbuck (1984), *The Winning Streak*, Penguin
9 Tom Peters (1987), *Thriving on Chaos*, Pan Books
10 Jon Katzenbach et al. 'The Myth of the Management Team', *HBR*, Novembro-Dezembro 1997

Capítulo III
ENTRADA

Neste capítulo vai:

→ descobrir mais sobre as actuais correntes da liderança

→ chegar à conclusão de que a liderança não é apenas masculina, militar e ocidental

→ adquirir uma consciência de como o pensamento sobre a liderança se desenvolveu durante o século XX

→ compreender a diferença entre liderança transaccional e transformacional e perceber como se chegou à noção de liderança 'transcendente'

→ identificar as diferenças entre liderança e gestão

→ identificar os dilemas da liderança relacionados com a mudança constante

→ identificar as sete competências-chave da liderança

→ identificar o papel do líder no desenvolvimento do capital intelectual da organização

Capítulo III
A essência da liderança

O que é liderança?

A liderança é um assunto fascinante. É uma palavra usada quase diariamente pelas pessoas, quer como referência à sua experiência no trabalho quer nas suas reacções aos exemplos estabelecidos pelos líderes políticos, empresariais, comunitários e desportivos. É também uma palavra que aparece diariamente nos jornais, na televisão ou na rádio. Mas será que sabemos o que queremos dizer quando utilizamos a palavra 'líder'? O que está na essência desta palavra? E como é que isto se relaciona com o mundo constantemente em mudança que é hoje o nosso ambiente?

Este capítulo explora a essência da liderança através, inicialmente, de um olhar sobre a forma como o pensamento sobre este tópico se tem vindo a desenvolver ao longo dos últimos cinquenta anos, e depois considerando as competências da liderança. Termina com uma análise dos dilemas da liderança na gestão constante da mudança. Isto permitir-nos-á relacionar a teoria com os aspectos práticos das questões com que os líderes a qualquer nível se defrontam diariamente.

O desenvolvimento do pensamento sobre liderança

Até à Segunda Guerra Mundial, de 1939-45, a liderança era em grande parte um assunto mítico relacionado intimamente com questões de classe e posição social. O estudo da liderança como tema desenvolveu-se realmente nos anos 40, após a Segunda Guerra Mundial, provavelmente devido à demonstração de liderança de indivíduos que enfrentaram enormes responsabilidades no caos daquele conflito à escala mundial.

Também é significativo que o instigador da guerra, Adolf Hitler, tivesse o título de *Der Führer* – o líder.

Os académicos puderam extrair dos líderes políticos e militares daquela época material muito rico para as suas investigações . Portanto, era de esperar que a primeira teoria a surgir fosse a do 'Grande Homem' ou a da abordagem das 'Qualidades' – e não estamos a ser politicamente incorrectos em chamar estas teorias de 'Grande Homem' e não 'Grande Pessoa'. Para a maior parte das pessoas, até aos finais do século XX, como já mencionámos, a liderança era considerada como um conceito acima de tudo masculino, militar e ocidental. Isto, claro, está muito longe da verdade. A história tem-nos mostrado líderes femininas de grande envergadura, como Indira Gandhi, Golda Meir, Margaret Thatcher e Benazir Bhutto.

Todas as organizações ao longo da história têm demonstrado diversos níveis de sucesso com a sua própria liderança. E o mundo não é apenas a Europa e a América! A liderança foi, é e será sempre uma questão global e que envolve todas as pessoas, seja qual for o seu cenário organizacional ou social. No entanto, já foi reconhecido que o mundo militar criou um número significativo de líderes. Muitos destes líderes e as suas contribuições para a experiência humana foram debatidos por John Adair no seu excelente livro *Great Leaders* [1]. No entanto, embora seja tentador centrar a atenção nos líderes militares bem sucedidos da história, é importante compreender que sempre que estejam envolvidas forças humanas, se essas forças forem levadas a um extremo, podem tornar-se fraquezas.

Isto é sublinhado de forma muito convincente por Norman Dixon no seu livro com o irreverente título *On the Psychology of Military Incompetence* [2]. Dixon defende que as características normalmente admiradas pelos militares, em tempos de crise podem levar a más decisões. Propõe a ideia de que os indivíduos atraídos por organizações fortemente hierarquizadas, onde o poder é exibido de forma óbvia através da utilização de uniformes, com insígnias de patentes e por aí adiante, são propensos a uma condição psicológica conhecida como 'dissonância cognitiva'. Isto foi proposto pela primeira vez pelo psicólogo Leon Festinger [3], em 1957, que sugeriu que os indivíduos com uma forte necessidade de estrutura e cujo pensamento funciona em termos de 'preto e branco', têm tendência a tomar decisões demasiado depressa, sem deterem toda a informação adequada. Pode argumentar-se que a única razão por que uma decisão precisa de ser tomada é o facto de existir uma tal falta de informação que a decisão correcta a tomar não é óbvia. No entanto, o argumento de Festinger é que os indivíduos que tendem a sofrer de dissonância cognitiva têm um problema em lidar com novas informações depois de terem tomado as suas decisões, sobretudo quando essa nova informação sugere que fizeram a escolha errada.

Indivíduos mais equilibrados provavelmente alterariam o seu ponto de vista à luz da nova informação e poderiam mesmo, subsequentemente, fazer uma escolha diferente. Uma pessoa que sofra de dissonância cognitiva não vai considerar fácil fazer isto. De facto, a sua resposta tende a reforçar a primeira decisão, de tal forma que o seu comportamento pode mesmo ser bizarro. É como se estivessem a experimentar um profundo conflito inconsciente entre duas crenças. Uma crença defende que é importante tomar uma decisão rapidamente e manter-se fiel à mesma – caso mudem de opinião podem parecer fracos, vacilantes e com falta de liderança. Simultaneamente, no entanto, sentem uma consciência cada vez maior de que a situação não é a que tinham imaginado inicialmente, que a sua avaliação inicial pode ter sido imperfeita, e que deveriam alterar a sua decisão para responder à nova informação. Dixon cita muitos exemplos de como este aparente conflito interno, sentido por figuras militares históricas muito conhecidas, levou a consequências catastróficas em batalhas.

Portanto, apesar da sua preocupação com o tema da liderança, a comunidade militar nem sempre foi tão bem sucedida na sua aplicação como gostaria de pensar.

Além disso, o problema da abordagem do 'Grande Homem' é o impasse a que se chega quando se tenta identificar uma forma de desenvolvimento de líderes eficazes, uma vez que é quase impossível produzir uma lista exaustiva das qualidades de liderança. Apesar desta falha óbvia, esta teoria ainda hoje tem seguidores, grande parte dos quais convencidos de que os líderes 'nascem' – não são 'criados'.

Foram os aspectos pouco definidos da Abordagem das Qualidades que levaram os pensadores a desenvolver a Abordagem Situacional (ver Figura 3.1). Esta é centrada na ideia de que o conhecimento e a adequação à situação é que definiram os líderes mais eficazes. O problema desta teoria era ser demasiado rígida, porque defendia que um indivíduo seria apropriado para uma situação, mas não para outra. Na realidade, os líderes devem ser suficientemente flexíveis para enfrentar uma série de cenários diferentes.

A frustração gerada por estas duas abordagens levou os investigadores, nos anos 60, a reconsiderarem os seus pensamentos sobre a liderança. Nos Estados Unidos foram tidos em conta vários projectos de investigação para analisar os aspectos comportamentais. Curiosamente, estes foram significativamente patrocinados pelos militares. A investigação sobre os padrões comportamentais dos líderes foi levada a cabo pelo Estado de Ohio e pelas universidades do Michigan, exemplificada pelo trabalho de Ralph Stogdill (1974)[4]. O culminar de toda esta investigação levou à focalização em dois factores: 'a preocupação com as pessoas' e 'a preocupação com a tarefa', que são as bases da ideia tarefa-relação do comportamento do líder.

A compreensão deste aspecto do comportamento natural levou a investigação à Teoria da 'Contingência', que se concentrava no contexto da actividade de liderança. Em particular, centrava-se na capacidade de o líder lidar com esse contexto. Este era o objectivo da investigação nos anos 70 e caracterizou o trabalho de Fiedler (1969)[5]. Hersey e Blanchard (1988)[6] optaram por uma abordagem ligeiramente diferente na Teoria Situacional do Ciclo da Vida, na qual analisaram a combinação apropriada entre tarefas e comportamentos nas relações que estão em causa nas situações de

Liderança – uma abordagem compósita

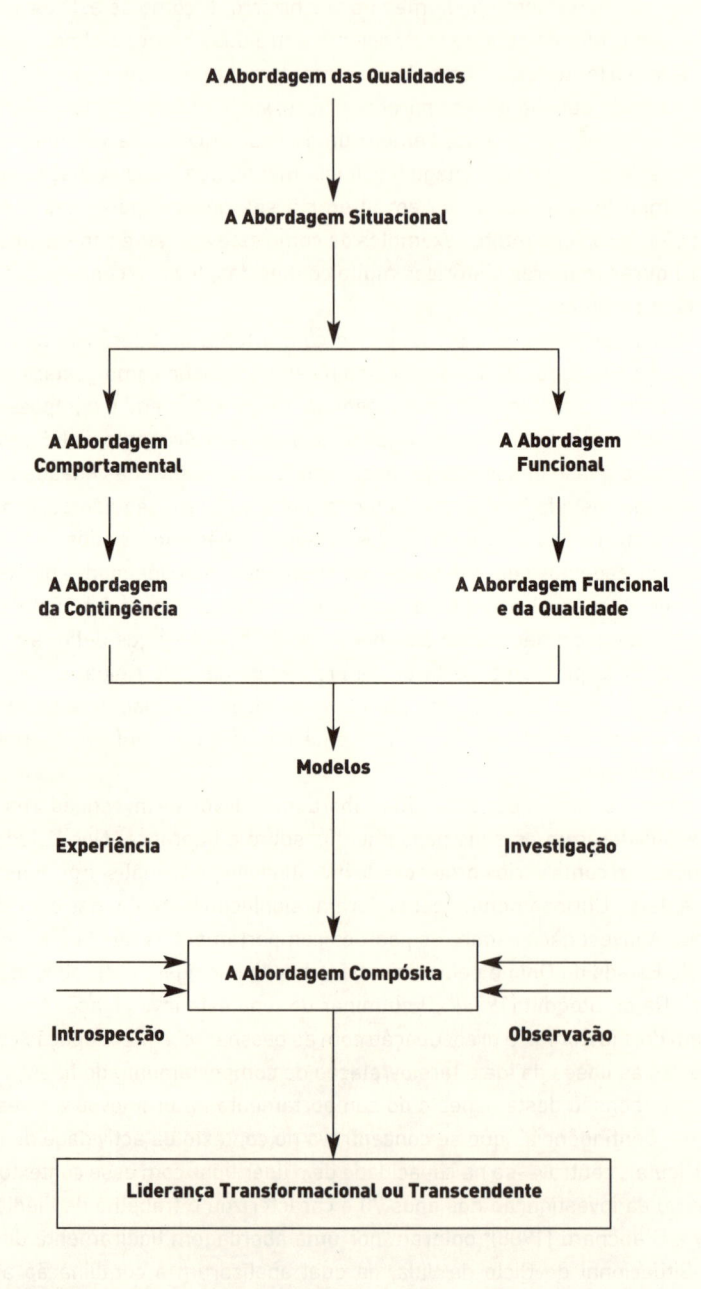

Figura 3.1 Uma visão do desenvolvimento do pensamento sobre a liderança

liderança, sugerindo que há uma combinação óptima que depende do nível de maturidade da equipa de seguidores. Grupos imaturos que não trabalharam em conjunto necessitam muito mais de orientação do que grupos que se tornaram equipas, no verdadeiro sentido da palavra, e que estão motivados e são competentes para trabalhar com directrizes mínimas.

Enquanto este trabalho, baseado no comportamento, estava a decorrer nos EUA, John Adair (durante o tempo em que foi historiador militar na Real Academia Militar, em Sandhurst, no Reino Unido) desenvolveu um interesse particular pelos factores que levavam os líderes eficazes a conquistar o apoio dos seguidores. O seu interesse foi despertado pela observação de jovens oficiais em Sandhurst, o que o levou à ideia de que os líderes devem cuidar de três necessidades: as da tarefa; as da equipa e as do indivíduo (ver Figura 3.2). Este trabalho, no Reino Unido (conhecido como Os Três Círculos), provou ser um modelo notavelmente robusto. Constituiu uma parte importante da Abordagem Funcional.

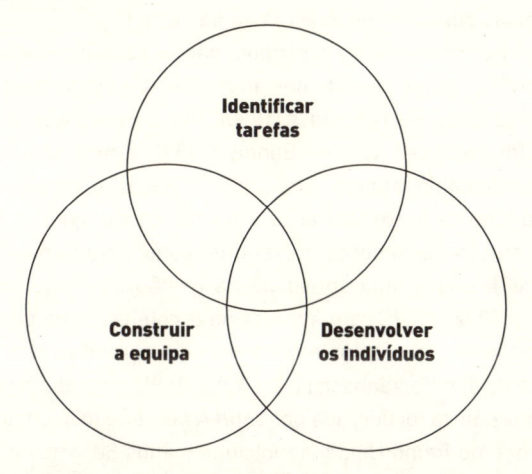

Figura 3.2 Abordagem dos Três Círculos de John Adair sobre as funções da liderança

O trabalho de Adair foi particularmente importante em dois aspectos: primeiro, conduziu o pensamento para a ideia de desenvolvimento da liderança; segundo, dividiu o aspecto 'humano' em duas partes – a equipa e o indivíduo.

Liderança e mudança – a Abordagem Compósita

A evolução do pensamento sobre a liderança ganhou importância nos últimos vinte anos e uma série de autores exploraram a relação entre liderança e mudança.

A investigação identificou o desenvolvimento prático nas organizações à medida que experimentam o processo de mudança e também envolveu os modelos propostos pelos investigadores para apoiar essa mudança. Isto resultou numa relação dinâmica entre autores e profissionais, que ainda hoje se mantém. Chamámos a este período a Abordagem Compósita. A chave para a Abordagem Compósita é o reconhecimento de que a liderança eficaz não se aprende num livro, ou por se estudar e optar por um determinado modelo de liderança.

Apesar da consciência de que um vasto leque de modelos de liderança pode ser útil para eliminar o lado negativo das experiências, é a conjugação da observação, da experiência, da exposição a modelos eficazes, da pesquisa e da introspecção que sustenta o verdadeiro desenvolvimento de uma liderança eficaz. A liderança tem de ser um processo de transformação, ou então, como nós lhe chamamos, um processo transcendente, que desbloqueie o potencial contido em cada ser humano, em vez de ser um acordo contratual, ou transaccional, onde as pessoas apenas actuam para ganhar recompensas pessoais, financeiras ou de outro tipo.

Um grande número de pessoas contribuiu para o pensamento sobre a liderança e para o desenvolvimento do conceito nos anos 80 e 90. A contribuição norte-americana incluiu autores como Bernard Bass (1990), com a exploração do seu conceito de 'Liderança Transformacional'; Warren Bennis (1989), com a sua compreensão dos ingredientes que se combinam para criar um líder eficaz; e a análise de John Kotter (1990), sobre a diferença entre liderança e gestão no cumprimento do desafio da mudança. Entre outros pensadores norte-americanos, contam-se Rosabeth Moss Kanter (1983, 1989), que é uma sumidade na gestão da mudança; Tom Peters e Robert Waterman (1982, 1987), com a tónica na excelência e na gestão da mudança caótica; a exploração do conceito de 'organização em aprendizagem', de Peter Senge (1990); e a análise de Jon Katzenbach (1993, 1996, 1998) do trabalho de equipa eficaz.

A abordagem britânica foi liderada por John Adair, que foi pioneiro do pensamento sobre a liderança no Reino Unido, no início dos anos 80, através do seu trabalho sobre 'liderança centrada na acção' (1983), desenvolvendo-o depois ainda mais ao analisar exemplos dos grandes líderes da História (1989) e ao explorar os aspectos práticos da liderança (1998). Na mesma altura, Meredith Belbin, uma contemporânea de Adair, desenvolveu o pensamento dele sobre os vários papéis que desempenha uma equipa (1993) e sobre a forma das organizações (1996). Um outro contemporâneo, Charles Handy, fez uma inestimável contribuição para toda esta área com o seu estudo, de toda uma vida, sobre o futuro do trabalho e das organizações (1985, 1990, 1994). Bob Garratt igualou o trabalho de Peter Senge ao aprofundar o conceito de organização em aprendizagem (1994), enquanto Philip Sadler ofereceu uma abordagem global compreensiva da liderança (1997). A nossa própria contribuição (1997) para este debate esteve centrada nas competências da liderança e no conceito do 'líder em aprendizagem'.

Um aspecto interessante do trabalho realizado nos Estados Unidos e no Reino Unido tem sido o respeito mútuo que os autores de ambos os lados do Atlântico têm uns pelos outros. Por exemplo, Adair e Bennis muitas vezes partilham o mesmo palco e são ambos professores convidados no Centro de Estudos da Liderança, na Universidade de Exeter; e Bennis e Handy têm uma longa amizade, que remonta aos tempos em que este último, já homem maduro, fazia um MBA na Sloan School of Management, no MIT, onde Bennis pertencia ao corpo docente.

Da gestão à liderança

Neste período assistimos também a uma mudança – a passagem da ênfase na gestão para a ênfase na liderança, uma mudança fundamentalmente provocada pela necessidade de se enfrentar a gestão da mudança. Tal como vimos acima, o trabalho de John Kotter incluía um estudo pormenorizado sobre os diferentes aspectos da gestão e da liderança. O Quadro 3.1 é baseado no seu trabalho e considera a gestão e a liderança como dois processos separados, sob a forma de tabela, opondo critérios. A sugestão é de que a gestão se debruça sobre o planeamento, a organização e o controlo, o que implica lidar com recursos financeiros e materiais, assim como com pessoas. Por outro lado, a liderança prende-se com estabelecer direcções, alinhar pessoas – motivá-las e inspirá-las. É puramente relacionada com pessoas.

Este pensamento é desenvolvido mais extensivamente no Quadro 3.2, baseado no trabalho de Warren Bennis. Aqui são consideradas as diferenças entre o comportamento e as acções de um líder e os de um gestor. Poderá parecer que a lista da esquerda é sobre controlo da gestão, previsibilidade e resultados de curto prazo. Em contrapartida, a lista do lado direito é mais emocional; é sobre desbloquear o potencial humano e trabalhar no sentido de um futuro mais visionário. A abordagem de curto prazo das nações industrializadas do mundo ocidental, especialmente nas últimas duas décadas, indica que a ênfase tem sido posta na coluna do lado esquerdo, em vez de numa abordagem equilibrada resultante da combinação das duas. O equilíbrio precisa de ser obtido através do desenvolvimento da capacidade de liderança de todos os gestores a todos os níveis dentro da organização.

Dito isto, não estamos a sugerir que um indivíduo deva tornar-se num líder ou num gestor. Para as organizações serem bem sucedidas, no ambiente actual de constante mudança, é necessário ter algumas pessoas que sejam boas nas duas coisas. Enquanto algumas organizações são bem administradas e bem controladas, poucas têm a visão apropriada, um pensamento original e inovador.

QUADRO 3.1 GESTÃO E LIDERANÇA COMO DOIS PROCESSOS SEPARADOS

(COM BASE NA IDEIA DE JOHN KOTTER, EXPRESSA EM *A FORCE FOR CHANGE*, THE FREE PRESS, 1990)

	Gestão	**Liderança**
O que devemos fazer?	Planear e Orçamentar – estabelecer passos detalhados e calendários para atingir os resultados necessários, e depois alocar os recursos necessários para que isso aconteça.	Estabelecer a direcção – desenvolver uma visão do futuro, muitas vezes um futuro distante, e estratégias para produzir as mudanças necessárias para alcançar essa visão.
Como encorajamos os nossos colaboradores a produzir os resultados necessários?	Organizando e gerindo o pessoal – estabelecer algum tipo de estrutura para cumprir exigências planeadas, gerir isso com os indivíduos, delegando responsabilidades e autoridade para executar o plano, dando as políticas e os procedimentos para ajudar a orientar as pessoas ou os sistemas para monitorizar a implementação.	Alinhar as pessoas – comunicando a direcção através de palavras e acções a todos cuja cooperação possa ser necessária, de forma a influenciar a criação de equipas e coligações que compreendam a visão e as estratégias e que aceitem a sua validade.
Tornar realidade	Controlar e resolver problemas – monitorizar detalhadamente resultados face ao planeado com algum pormenor, identificar os desvios e depois planear e organizar de forma a resolver esses problemas.	Motivar e inspirar – incentivar as pessoas a ultrapassar os grandes obstáculos à mudança de natureza política, burocrática e de recursos, através da satisfação de necessidades humanas muito básicas, mas não realizadas.
Resultados	Produz um determinado nível de previsibilidade e ordem e tem o potencial de produzir, consistentemente, resultados-chave esperados pelas partes interessadas (por exemplo, cumprir o orçamento, etc.).	Produz mudanças, por vezes até a um nível drástico, e tem o potencial de produzir mudanças extremamente úteis (por exemplo, novos produtos que os consumidores desejam, novas abordagens às relações entre os colaboradores que apoiam o desenvolvimento da organização).

QUADRO 3.2 O GESTOR E O LÍDER

(COM O CONHECIMENTO DE WARREN BENNIS, RETIRADO DO SEU LIVRO *ON BECOMING A LEADER*)

O Gestor	O Líder
Administra	Inova
É uma cópia	É um original
Mantém	Desenvolve
Centra-se nos sistemas	Centra-se nas pessoas
Baseia-se no controlo	Inspira confiança
Visão de curto alcance	Visão de longo alcance
Pergunta como e quando	Pergunta o quê e porquê
Desperto para a base	Desperto para o horizonte
Imita	Origina
Aceita o *status quo*	Desafia o *status quo*
Obedece às ordens sem questionar	Obedece quando deve, mas pensa
Faz as coisas correctamente	Faz as coisas certas
Recebe formação	Aprende
Os gestores operam dentro da cultura	*Os líderes criam a cultura*

Da Liderança Transaccional e Transformacional para a Liderança Transcendente

A passagem da Liderança Transaccional para a Liderança Transformacional surgiu tanto no discurso académico, com início no livro *Leadership*, em 1978, de James McGregor Burns, como no estilo em mudança da liderança prática das organizações; trata-se de uma transição do 'comando e controlo' para a 'delegação de poderes' *(empowerment)*. Philip Sadler[7] traça uma clara distinção entre as duas: 'a Liderança Transaccional surge quando os gestores tomam a iniciativa ao oferecer algum tipo de satisfação de necessidades em troca de algo apreciado pelos seus colaboradores, como por exemplo a remuneração – a Liderança Transformacional, no entanto, é o processo de envolver os colaboradores comprometidos com o contexto de valores partilhados e visão partilhada'.

De acordo com as posições actuais, a Abordagem Compósita levou à Liderança Transaccional, uma vez que as organizações testemunharam mudanças sem precedentes e a relação próxima entre pensadores e operacionais continua a desenvolver-se. Já defendemos, no Capítulo II, que a 'Liderança Transformacional' é com efeito uma verdadeira 'liderança', por isso, preferimos usar o título 'Liderança Transcendente' para descrever este processo em que o líder se empenha no apoio emocional dos seus seguidores. De facto, muitos dos maiores pensadores de vanguarda do mundo académico passaram uma parte significativa do seu tempo como consultores, a tentar ajudar as organizações a lidarem com a mudança, mas também a tentarem compreender os problemas fundamentais. Ninguém tem todas as respostas – todos estão no fio da navalha.

A consciencialização de que o requisito-chave de hoje é possibilitar às pessoas que se 'transformem' ou 'transcendam' surgiu da implicação prática da velocidade da mudança. Tal como vimos no Capítulo II, entre os Motores da Mudança estão a tecnologia e as comunicações. Um outro factor-chave foi a recessão, no início dos anos 90, que forçou as organizações a tomar decisões que, de outra forma, teriam evitado. Também as fez perceber que as pessoas, realmente, eram o seu activo mais importante. Além disso, se a gestão não reconhecia este facto, tanto na forma como recompensava a sua força laboral, como através do seu próprio comportamento, os mais talentosos procuravam emprego noutro lado. As condições para este movimento foram facilitadas através do desenvolvimento de um estilo de vida 'trabalhador-portfólio', que foi um subproduto da recessão. Uma abordagem 'portfólio' reconhece que há mais na vida do que apenas trabalhar. Embora seja necessário trabalhar para ganhar dinheiro suficiente para satisfazer as necessidades de cada um, as actividades feitas por puro prazer (como é o caso de fazer trabalho de caridade ou voltar a estudar) permitem ter uma vida mais equilibrada.

Uma outra consequência da recessão foi o *downsizing* das organizações, que teve grande impacto, muito em particular nos jovens que terminaram os cursos universitários em meados dos anos 90. Foi-lhes dito que já não havia 'empregos para a vida' e que a maior parte deles poderia contar com a hipótese de vir a desempenhar cinco trabalhos diferentes ao longo da sua vida. Tal como já aconteceu muitas vezes no passado, este novo estilo de vida foi pioneiro nos Estados Unidos e, cada vez mais, tem vindo a tornar-se um modelo no Reino Unido.

Da liderança isolada à liderança em equipa

Todo este desenvolvimento teve um impacto no estilo de liderança e tem sido fundamental na evolução da Liderança Transcendente. Esta situação incluiu uma passagem da liderança isolada para a liderança em equipa; uma necessidade de liderança à distância; a necessidade, cada vez maior, de liderar equipas *ad hoc*; e a percepção de que a liderança por *e-mail* está a tornar-se uma necessidade crescente. À medida que as organizações reduzem os níveis hierárquicos e se tornam mais planas, os líderes passam a delegar mais poder nos seus colaboradores. Isto resultou numa decisão voluntária de muitos deles no sentido de permitir que o seu poder se diluísse, e também na necessidade de partilhar mais informação. Aos gestores seniores não foi dado crédito suficiente para poderem proceder a esta mudança no seu comportamento, o que tem sido ainda mais extraordinário, porque nesses casos tem sido voluntária. No entanto, a força da mudança tem sido tal que poucas outras opções existem em caso de quererem garantir que as suas organizações continuem a ser eficazes num ambiente de mudança contínua.

Talvez o aspecto mais extraordinário desta transformação tenha sido a sua velocidade. No últimos anos do século XX, os líderes que se comportavam como era hábito no final dos anos 80 pareciam anacrónicos, antiquados e insensíveis. Num espaço de dez anos, o estilo de liderança mudou radicalmente.

Mas será que mudou mesmo? Apesar da formalização da 'abordagem' se ter tornado reconhecidamente transformacional (em oposição à contingente ou situacional), os fundamentos da liderança sempre foram os mesmos: abraçar uma visão, dar inspiração, ser um exemplo e obter resultados. No passado, isto foi exemplificado por líderes como Viscount Slim e Sir Ernest Shackleton. Só que o contexto e a velocidade da mudança são muito diferentes. O que agora se reconhece é que, para transformar os colaboradores, os gestores precisam de ser líderes competentes. Além disso, os líderes eficazes fazem coisas que os líderes ineficazes não fazem. Isto levou à identificação de algumas competências da liderança.

As competências da liderança

Primeiro, os líderes precisam de estabelecer uma direcção para a organização, o que inclui uma visão do futuro. Em segundo lugar, os líderes eficazes são modelos de referência e exemplos com influência porque estão conscientes de que as pessoas se deixam influenciar mais pelo que vêem do que pelo que lhes é dito. Terceiro, são comunicadores eficazes, não só a transmitir a sua visão mas também a inspirar os seus colaboradores de uma forma que causa um efeito emocional. Em quarto lugar, desde que o líder seja convincente, os seguidores vão querer fazer parte da operação e trabalhar, também eles, para o objectivo comum. Este processo é de alinhamento. É semelhante a apanhar limalhas de ferro com um íman: as pessoas são atraídas na mesma direcção pela perspectiva de a visão se tornar numa realidade.

Em quinto lugar, os líderes conseguem fazer sobressair o melhor das pessoas. Isto envolve uma abordagem holística que abrange motivação, delegação de poderes (empowerment), orientação (coaching) e encorajamento. Sexto, os líderes precisam de ser proactivos numa situação de contínua mudança. Com efeito, tornam-se agentes da mudança. O sétimo atributo é a capacidade de tomar decisões em tempos incertos e de crise.

Estas sete competências, que são discutidas em pormenor no nosso último livro, *The Business of Leadership* [8], são as competências necessárias para liderar eficazmente a todos os níveis, no estilo apropriado, de forma a criar valor numa organização.

Os dilemas da liderança da mudança constante

As competências acima referidas têm de ser testadas face à essência da liderança de hoje: a necessidade de lidar com assuntos complexos num ambiente de mudança constante. Esta combinação de complexidade e incerteza constante produz dilemas realmente difíceis para os líderes de hoje, seja qual for o nível a que operem. Durante a investigação para este livro, discutimos os dilemas da liderança com indivíduos a trabalhar em níveis operacionais, de equipa e estratégicos. O resumo que se segue inclui uma análise das principais questões que foram levantadas. Não foi feita qualquer tentativa para distinguir se um dilema particular é mais significativo num determinado nível: na realidade, a metamorfose constante das organizações sugere que as fronteiras se estejam a tornar cada vez mais esbatidas.

Tornar a organização mais plana

Muito provavelmente, uma das questões mais prementes nas organizações é a passagem de estruturas hierarquizadas para outras mais planas. Isto tem levado a uma extensão do controlo e da responsabilidade. Por exemplo, na Honda, no Reino Unido, há apenas cinco níveis do director até à base. Apesar destes desenvolvimentos terem lançado um desafio ajustado a indivíduos que foram promovidos para níveis superiores da gestão, muitos assumiram estas responsabilidades extra sem tempo suficiente para adquirir a experiência necessária. Como seria de esperar, houve uma série de baixas, que afectaram negativamente tanto o indivíduo como a organização. Outro dos efeitos da mudança para estruturas mais planas foi as suas implicações burocráticas. Trata-se de uma característica das grandes organizações. No entanto, ao mesmo tempo que mudaram de forma, tentaram também sobreviver sem os antigos sistemas, considerados demasiado pesados e lentos para a actual era tecnológica. O problema é que as novas organizações descobriram que é difícil sobreviver se não houver algum tipo de sistema de controlo.

Velho e novo

O dilema que se segue também está associado às diferenças entre 'velho' e 'novo' – mas desta vez está relacionado com a idade: é o reflexo do 'diferencial de idades' no conhecimento. Os avanços tecnológicos na última década têm sido extraordinários – especialmente as evoluções nos computadores. Enquanto a velha geração se tentou adaptar a esta alteração (uns com sucesso, outros não), os jovens cresceram com o computador e, portanto, adquiriram as competências necessárias de forma muito natural. Isto ameaçou os indivíduos nas posições de gestão, muito em especial nos níveis seniores, porque não são suficientemente competentes nesta área. Esta é apenas uma fase passageira dado que, nos próximos anos, todos nós vamos desenvolver as competências necessárias. No entanto, para aqueles que hoje estão na casa dos 40 ou mais e que detêm cargos de gestão de topo, este tem sido um problema significativo, que, nalguns casos, afectou o seu comportamento.

Tecnologia

A tecnologia é também a fonte da próxima área problemática – a liderança de equipas *ad hoc* e à distância. Devido às pressões dos negócios, uma série de problemas são abordados por equipas de projecto que se juntam por um curto espaço de tempo, que varia de algumas semanas a vários meses. A dificuldade desta solução reside no facto de, muitas vezes, a equipa ser *ad hoc* e os seus membros nunca antes terem trabalhado em conjunto. Isto coloca um problema de liderança muito específico – a necessidade de liderar uma equipa que não se encontra fisicamente durante dias ou, nalgumas circunstâncias, até mesmo semanas. Isto está a tornar-se comum porque é cada vez mais frequente as pessoas trabalharem em casa ou estarem ausentes do escritório durante longos períodos de tempo. Estas circunstâncias estão a demonstrar ser especialmente difíceis para os líderes que estavam habituados a um contacto diário que, por seu turno, lhes permitia desenvolver uma relação próxima com as suas equipas.

Delegação de poderes

A delegação de poderes *(empowerment)* traz consigo todo um leque de dilemas. A abertura e a responsabilização, que são características importantes da delegação de poderes, propiciam a liderança eficaz a todos os níveis e baseiam-se na confiança. No entanto, essa confiança tem de ser completa, os indivíduos envolvidos na relação não podem duvidar uns dos outros. O mesmo se aplica à 'abertura' – não é possível ser apenas 'metade aberto'. Isto levanta dificuldades no que diz respeito a áreas confidenciais. Por exemplo, os membros da direcção de uma empresa embrenhados numa difícil discussão sobre uma possível fusão não são capazes de debater os detalhes com a sua força laboral. No entanto, esta reticência pode ser interpretada de forma errada pelos colaboradores, minando assim a sua confiança na direcção. A delegação de poder implica a partilha de informação, tal como de responsabilidades. O problema é que algumas pessoas não querem partilhar o que aconteceu antes e outras não querem aceitar o que aconteceu depois!

Toda esta área está associada à passagem a um estilo de gestão mais democrático. Na realidade, a 'delegação de poder' envolve a partilha de poder. Isto levanta algumas questões complicadas. Por exemplo, quem é o verdadeiro líder? Como pôr em prática as medidas de controlo necessárias? Até que ponto é necessário exercer controlo?

A passagem para um estilo mais democrático, juntamente com um ritmo de vida mais acelerado, levou a uma crescente sobreposição entre os níveis de liderança estratégicos e operacionais. Os que trabalham ao nível operacional precisam de compreender o cenário todo, enquanto que os que estão ao nível estratégico têm de avaliar as implicações operacionais. Um diálogo constante entre os dois níveis é essencial se as organizações querem ser capazes de reagir de forma suficientemente rápida no mundo de hoje.

As Forças Armadas Britânicas são particularmente boas na gestão da sobreposição de comunicações estratégicas/operacionais. A experiência de três décadas de operações na Irlanda do Norte ensinou ao Exército e Marinha britânicos a importância de cada soldado compreender o ambiente político em que tinha de operar. Isto é conseguido através de *briefings* diários, acrescidos de actualizações instantâneas através da rede de rádio militar, quando necessário, de forma a manter toda a gente actualizada em relação aos acontecimentos. Identicamente, os oficiais superiores são constantemente recordados das implicações práticas das suas decisões, durante as suas frequentes visitas às tropas no terreno. Os benefícios deste procedimento foram mais uma vez evidentes quando os soldados britânicos foram entrevistados pela televisão, nas ruas de Pristina, no Verão de 1999, como parte integrante das forças de manutenção de paz da NATO, no Kosovo.

Gerir o volume de trabalho

A última questão tem a ver com o crescente volume de trabalho. As avaliações feitas indicam que o stress tem custado ao Reino Unido mais de 26 mil milhões de libras por ano[9]. A pressão do tempo, para todos nós, é enorme, e a existência de um mercado global significa que muitos negócios nunca param. O problema disso é que as pessoas que trabalham para esses negócios também têm de trabalhar 24 horas por dia. Toda esta pressão se reflecte no equilíbrio entre a família e o trabalho.

Todas as questões discutidas reforçaram a necessidade de repensar de forma significativa a liderança. Apesar de um certo número destes dilemas terem ocorrido no passado, é a pressão implacável de liderar num ambiente de mudança contínua que força muita gente a rever a forma como vive as suas vidas. Vale realmente a pena trabalhar 80 horas por semana, ano após ano, se não vejo a minha família crescer? Se a delegação de poder tem como finalidade disseminar os níveis de responsabilidade e de volume de trabalho, por que sofro de stress? Se esta pressão vai continuar para o resto da minha vida activa, será que tenho energia para continuar a este nível até chegar à idade de reforma? E, a propósito, com que idade é que me reformo?

Apesar de muita gente estar actualmente empolgada com os desafios de lidar com questões complexas e liderar pessoas através do caos da incerteza, outros questionam as próprias bases da liderança e da responsabilização. Estas perguntas surgem tendo como pano de fundo o estilo de vida de 'trabalhador-portfólio' e diferentes padrões de trabalho. Por exemplo, de acordo com o estudo *2020 Vison Report*[10], do Centro Henley, patrocinado pelo Barclays Bank, estamos a avançar para um mundo onde será normal trabalhar apenas quatro dias por semana, com o quinto dia dedicado a trabalho voluntário. Também haverá mais tempo para o lazer. A maior parte das pessoas com funções de liderança, hoje em dia, não reconhece um mundo assim e está apenas a sobreviver sob as pressões crescentes para cumprir mais rapidamente prazos, com cada vez menos recursos. Não admira que os mais talentosos estejam a optar por pausas cada vez maiores entre empregos.

Desenvolver capital intelectual

Então e que será da liderança no futuro? Qual vai ser o foco do líder neste novo milénio em que os líderes de negócios enfrentam desafios e exigências ainda maiores do que os do século XX? Acreditamos que a maioria dos líderes de negócios vá deixar de dar atenção exclusivamente ao simples desenvolvimento dos activos físicos na base da sua organização (como por exemplo o valor da fábrica, o inventário e edifícios) para se centrar no verdadeiro reconhecimento do conhecimento e capital intelectual que existe dentro da empresa ou organização. Leif Edvinsson e Michael Malone[11] analisaram esta questão de forma exaustiva no seu livro.

Estes autores defendem que cada organização contém uma enorme quantidade de conhecimento, tanto nos seus computadores como nos seus sistemas tecnológicos de informação. No passado, os contabilistas costumavam contabilizar estes aspectos do negócios como *goodwill*, uma espécie de *avaliação* vaga das diferenças entre o valor do activo de um negócio e o montante de dinheiro pelo qual podia ser vendido no mercado. O que agora reconhecemos é que uma componente muito importante desse factor *goodwill* é, na verdade, o capital intelectual do negócio, o valor do conhecimento, as competências e a experiência, quer dos colaboradores quer dos sistemas de informação. Os líderes, no futuro, vão ter de prestar mais atenção ao desenvolvimento deste aspecto da organização do que no passado. O futuro é informação, comunicação, conhecimento e pessoas. E essas são as principais componentes do capital intelectual que, cada vez mais, se vai tornar a verdadeira medida do valor de uma empresa.

Sumário

As realidades da mudança constante denunciaram uma série de dilemas que estão a afectar a própria natureza da liderança. O desafio nunca foi tão grande, atendendo ao ritmo da mudança e à tendência para uma abordagem mais democrática. Ser um líder hoje requer capacidades mais subtis do que no passado e uma ênfase diferente, à medida que a cultura organizacional muda. Trata-se da passagem de um comando 'confortável' e de uma abordagem de controlo, para a necessidade 'desconfortável' de ser alguém que sabe delegar poderes, orientar, promover e formar.

Esta é uma transição difícil, com a qual nem toda a gente está feliz. Significa mais reflexão, maior flexibilidade, mais antevisão e menos controlo directo do que no passado. Os aspectos práticos deste desenvolvimento serão explorados nos capítulos que se seguem.

Notas de rodapé

1 John Adair (1989), *Great Leaders*, Talbot Adair Press
2 Norman Dixon (1976), *On the Psychology of Military Incompetence*, Jonathan Cape
3 Leon Festinger (1957), *A Theory of Cognitive Dissonance*, Row Petersen
4 Ralph Stogdill (1974), *Handbook of Leadership*, Macmillan
5 Fred Fiedler et al. (1976), *Improving Leadership Effectiveness: The Leader Match Concept*, Wiley
6 Ken Blanchard e Paul Hersey (1969), *Management of Organizational Behaviour*, Prentice-Hall
7 Philip Sadler (1997), *Leadership*, Kogan Page
8 Alan Hooper e John Potter (1997), *The Business of Leadership*, Ashgate
9 Neil Hartley (1996), *Towards a New Definition of Work*, London: RSA
10 The Henley Centre (1998), *2020 Vison Report*, London: Barclays Life 1998
11 Leif Edvinsson e Michael Malone (1997), *Intellectual Capital*, Pitakus

Capítulo IV
ENTRADA

Neste capítulo vai:

→ começar a questionar a sua estrutura organizacional

→ compreender de que forma a liderança machista e o pensamento focalizado no curto prazo podem levar as organizações a terem problemas

→ ter uma ideia sobre como alguns desafios de liderança foram resolvidos em organizações reais

→ descobrir algumas chaves específicas para uma liderança da mudança bem sucedida

→ identificar as fases de resposta vividas por indivíduos confrontados com a mudança

→ verificar que o moral varia de forma previsível durante um programa de mudança

→ saber mais acerca de estudos de casos reais sobre a liderança da mudança bem sucedida

→ descobrir formas de sustentar um programa de mudança bem sucedido

Capítulo IV
Responder à mudança

O mundo real

Estava um dia surpreendentemente quente para o mês de Outubro em Milton Keynes. Encontrávamo-nos no Volkswagen Group, no Reino Unido, a tentar perceber a estrutura da organização.

'Então, a sede não dispõe de uma representação assim tão grande e, em vez disso, reflecte os departamentos funcionais que operam na qualidade de satélites no anel exterior.'

'Precisamente.'

'Mas onde é que você surge neste diagrama?', perguntámos a Richard Ide, o director executivo.

'Não apareço.'

'Não estou a seguir o seu raciocínio. Está a dizer-me que, enquanto director executivo, não aparece no organigrama da organização. Mas então isso quer dizer que há uma completa anulação da sua responsabilidade?'

'É exactamente o oposto', respondeu Ide. 'Uma vez que não tomo quaisquer decisões, não é correcto que a minha posição figure no organigrama.'

'Mas se você não toma quaisquer decisões – quem o faz? E o que é que você faz?'

'As decisões são tomadas pelas filiais (i.e., Volkswagen, Audi, etc). Quanto ao papel que desempenho, trata-se de criar a atmosfera certa, de forma a dar confiança aos outros para tomarem decisões.'

Esta conversa[1] com o director executivo de uma empresa global foi a mais surpreendente de todas, uma vez que Richard Ide tinha sido um auto-assumido líder do tipo 'comando e controlo' durante a maior parte dos seus 45 anos consagrados ao ramo automóvel. Isso não era surpreendente, uma vez que essa tinha sido a cultura deste negócio durante quase toda a sua vida de trabalho. Com efeito, a maioria das organizações são lideradas por presidentes executivos (CEO) poderosos, ambiciosos e egocêntricos que, através dos seus comportamentos, têm um impacto directo na forma como uma empresa responde à mudança – para o bem e para o mal.

Retomaremos a história da Volkswagen e falaremos de novo na transformação de Richard Ide mais no final deste capítulo, mas, na generalidade, o comportamento de um CEO é muito importante no actual ambiente de mudança constante, revolução tecnológica e padrões laborais em mudança. Há cada vez mais provas de que as empresas que aprenderam como lidar com a mudança de forma bem sucedida criaram uma nítida diferença entre elas e o resto da concorrência.

Neste capítulo iremos analisar as questões a debater e depois abordaremos as chaves do sucesso, expondo exemplos, tanto do sector público como do privado.

Os assuntos em causa

A primeira questão prende-se com a 'liderança machista'. Trata-se de uma característica comum nos CEO, dado que muitos deles são guiados pela ambição e um desejo aceso de conquista. Ligado a esta característica, está o receio de falhar, que lhes torna difícil admitirem os seus erros. Se a cultura da organização é também uma cultura que não perdoa, esta irá reforçar a abordagem machista e tornará ainda mais difícil que as pessoas aprendam com os seus erros. Isto aplica-se tanto aos que se encontram no nível dos gestores seniores como aos que ambicionam lá chegar. Um ambiente deste género dificulta que se rompa com o modelo, uma vez que a geração seguinte de líderes tende a seguir os modelos de referência do topo. Esta situação, por sua vez, vai-se propagando a todos os níveis da empresa, afectando o comportamento de toda a força laboral.

A questão seguinte prende-se com o *curto-prazismo*. Esta questão está relacionada com a abordagem machista, em que o falhanço não pode ser tolerado, especialmente no contexto de uma empresa privada que reporta aos accionistas. O 'factor accionista' tem arruinado muitas empresas, especialmente as de menor dimensão, porque força a gestão a concentrar-se nos resultados de curto-prazo em detrimento de uma visão de longo prazo. No entanto, esta situação não está confinada ao sector privado, dado que os políticos são exactamente confrontados com os mesmos dilemas em relação ao seu eleitorado.

Há um reconhecimento gradual de que a abordagem inclusiva (envolvendo todas as partes interessadas *(stakeholders)* e não apenas os accionistas) é o factor importante que forçou inúmeras organizações a reavaliarem a sua estratégia e a adoptarem uma abordagem de mais longo prazo. Contudo, até ao momento, apenas um número relativamente pequeno de empresas começou a dar a devida atenção a este assunto. Quando nos debatemos para conseguir sobreviver nos meses seguintes, é preciso muita coragem para iniciar uma nova estratégia baseada num sucesso pre-

visto para o futuro à custa de prejuízos no curto prazo. Isto é particularmente verdade se a organização estiver além do pico de desempenho e no Ponto B da Curva
Sigmóide (ver Figura 4.1).

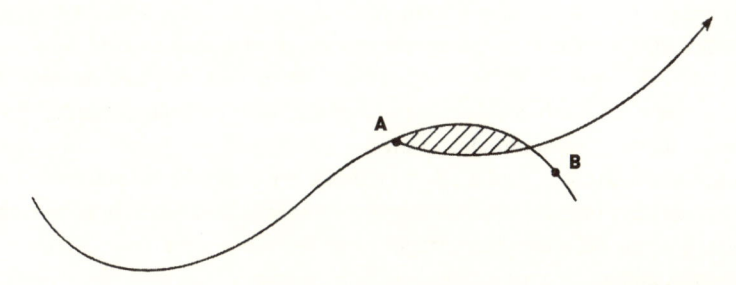

Figura 4.1 A Curva Sigmóide

Esta curva em forma de S representa o ciclo de vida de uma organização que, inevitavelmente, tem altos e baixos. A chave é iniciar a segunda curva no Ponto A, antes
do pico, e utilizar assim a energia latente da experiência com a antiga curva enquanto se está ainda no estádio de desenvolvimento. A Curva Sigmóide é um modelo particularmente útil no que diz respeito ao *timing*. Se conseguir o *timing* certo, pode usar
a curva descendente no início de um novo processo (quando está ainda na fase de
experimentação e aprendizagem – Ponto A) antes de atingir o 'cume' do processo
antigo. Em caso de *timing* errado (Ponto B), irá deparar-se com dificuldades em
recuperar o terreno perdido. É muito mais difícil mudar uma cultura organizacional
se a empresa se estiver a debater com a concorrência e tiver perdido o seu rumo,
como descobriu a Marks & Spencer em 1998.

A terceira questão diz respeito ao fracasso na adaptação suficientemente rápida
à mudança. O ritmo de mudança é de tal forma acelerado hoje em dia que, a menos
que uma organização antecipe os possíveis acontecimentos atempadamente, é pouco
provável que mantenha a energia necessária para andar à mesma velocidade que um
ambiente em constante mudança. Isto significa também estar à vontade com a descontinuidade. Este último ponto é de particular relevância, uma vez que afecta todos
os tipos de órgãos, desde as grandes empresas privadas e organizações do sector
público até às pequenas empresas com reputação estabelecida no mercado. Na verdade, quanto melhor a reputação, mais difícil pode ser viver com a descontinuidade.

Tomemos a NATO como exemplo. Esta organização de aliados para a Defesa é a
de maior sucesso na história mundial e manteve a paz na Europa durante o período
da Guerra Fria, durante mais de 40 anos, mas veio a deparar-se com grandes dificuldades quando se confrontou com o Presidente sérvio Milosevic em 1999, uma vez
que aquele governante jogava com regras diferentes. A táctica que funcionara contra
um oponente previsível como a União Soviética já não era eficaz contra um inimigo

que estava preparado para aprender com a experiência (Milosevic aprendeu as lições retiradas de fracassos anteriores na Bósnia) e que soube avaliar a fragilidade da Aliança. Com efeito, Milosevic ficou suficientemente à vontade com a descontinuidade para conseguir torná-la numa vantagem.

À medida que assistíamos ao desenrolar do drama, diariamente, nos nossos ecrãs de televisão, vendo a NATO a debater-se com os seus dilemas, muitos líderes de negócio devem ter estabelecido analogias com as suas próprias situações. Se uma organização tecnologicamente desenvolvida, detentora de armamento pesado e comunicações sofisticadas, podia ser humilhada e marginalizada pela máquina da propaganda de uma nação militar de terceira categoria, então uma grande empresa poderia facilmente ficar em desvantagem em relação a uma empresa de menor dimensão mas dotada de pensamento rápido, que antecipasse bem, fosse mais rápida a reagir e estivesse à vontade num ambiente de contínua mudança.

A quarta questão está associada a fracassos no topo das organizações. No início de 1999, em contraste com os Estados Unidos, um número sem precedentes de *blue-chips* (novas empresas ligadas à tecnologia e com elevado nível de inovação) no Reino Unido não tinham presidentes ou directores executivos. Isto teve como resultado manchetes jornalísticas acerca da 'crise na liderança dos negócios' – e algum nervosismo na City (centro financeiro londrino). A determinada altura, 30 das 100 empresas cotadas no FTSE Top 100 (índice da Bolsa de Londres) estavam sem líder ou procuravam activamente um substituto (entre estas incluíam-se o Barclays Bank, a Cable & Wireless, a Rank, a EMI e a Reed Elsevier). Na verdade, a empresa de informação anglo-holandesa Reed Elsevier demorou onze meses a encontrar um novo director executivo e a administração da empresa estava de tal forma caótica que dois directores se demitiram como forma de protesto contra a política de recrutamento.

Toda esta envolvente obrigou a uma análise acerca do que estava errado na liderança de negócios na Grã-Bretanha, um debate que ainda hoje se mantém. Um dos aspectos inicialmente identificado foi que havia uma diferença entre gestão e liderança, e a percepção de que, apesar de a gestão ter sido suficientemente positiva para orientar as empresas ao longo do ritmo de vida mais lento da década de 80, já não era adequada para os terrenos desconhecidos do século XXI. A única surpresa é que as organizações demoraram muito tempo a alcançar esta conclusão.

Outro aspecto associado a este problema específico prende-se com o fraco desempenho das equipas de topo; este poderá dever-se à falta de competência, ao choque de personalidades, a comportamentos medíocres, ou simplesmente ao facto de a gestão sénior não estar a trabalhar como equipa. Um exemplo desta última situação ocorreu no Barclays Bank, quando Martin Taylor, o director executivo, se demitiu inesperadamente no final de 1998. Tinha sido recrutado aos 41 anos da Courtaulds Textiles PLC (onde tinha exercido igualmente o cargo de director executivo), sem qualquer experiência na área da banca, mas com um mandato claro para resolver os problemas no banco – que tinha acabado de publicar os seus piores resultados dos últimos 300 anos. Em três anos, os lucros ascenderam a 2,08 mil milhões de libras esterlinas, o rendimento por acção subiu para 83,6 pence e, o que não foi menos importante, o Barclays tornou-se um bom local para trabalhar, com melhores sistemas de comunicações e de gestão. Então, o que é que correu mal? Existiam alguns erros fundamentais, tais como uma perda comercial no valor de 250 milhões de libras na Rússia em 1998, mas o centro do problema foi a oposição entrincheirada dos gestores de topo às novas ideias que Taylor tentava introduzir no banco. Taylor tinha sido contratado para introduzir ideias radicais e, até certo ponto, conseguiu fazê-lo, pelo menos nos primeiros anos.

No entanto, ser-se bem sucedido, ano após ano, requer uma equipa de gestores de topo com quem se trabalhe estreitamente em conjunto, num ambiente de confiança absoluta. Diz-se que Taylor levou demasiado tempo a criar um grupo com a sua própria gente, pessoas em quem pudesse confiar, e que sem esse apoio por trás estava destinado a fracassar. Independentemente da razão, houve decerto um fracasso ao nível do trabalho de equipa entre os gestores seniores e, além disso, o Barclays perdeu um talentoso director executivo (que se demitiu bastante frustrado). Estavam agora preparados para pagar sete milhões de libras (dois milhões de salário, mais cinco milhões em acções três anos depois) para contratar um sucessor, Mike O'Neill, um banqueiro norte-americano. Ironicamente, também ele se demitiu, mas desta vez porque lhe foi diagnosticado um grave problema cardíaco (passou apenas um dia no escritório em Londres) e o Barclays levou mais cinco meses até contratar Matt Barrett, ex-presidente do Bank of Montreal, em Julho de 1999.

O exemplo do Barclays chama também a atenção para outro erro que atinge muitas organizações – o fracasso em assegurar um planeamento adequado de sucessão. No final dos anos 90, o Lonrho, a GEC e o Hanson debatiam-se com problemas de sucessão. Isto é muitas vezes um sintoma de 'liderança machista', uma lacuna na delegação de poderes e uma incapacidade de desenvolver talentos por meio de orientação (coaching) e mentores adequados. É também um resultado frequente da abordagem 'comando e controlo', que era a norma em vigor na década de 80. Infelizmente, um grande número de gestores seniores descobriram que era muito difícil sair deste estilo, especialmente quando estavam sob pressão, sendo que o resultado tanto podia ser não existir qualquer planeamento em termos de sucessão, como os talentosos terem-se desencantado e saído para se juntarem à concorrência.

Este fracasso no planeamento da sucessão é uma parte da questão da cultura organizacional que pode provocar problemas consideráveis se não for resolvido de forma adequada. Todas as empresas têm culturas que lhes são específicas. Estas resultam da conjugação da história da organização com o estilo de gestão que se desenvolveu ao longo dos anos. Quanto mais bem sucedida for a empresa, mais a cultura prevalecente é reforçada. Em determinadas circunstâncias, é muito difícil para um novo líder mudar atitudes e comportamentos. Sir Peter Davis descobriu ser esse o caso quando aceitou o cargo de director executivo do grupo Prudential Corporation, em 1995: 'Deparei-me com uma atitude muito conservadora quando lá cheguei, baseada no facto de a Prudential ter sido a maior companhia britânica de seguros de vida durante mais de 100 anos.'[2]

Às dificuldades normais associadas à mudança da cultura de uma só empresa, poder-se-ão agora acrescentar as dificuldades associadas às Operações Públicas de Aquisição (OPA) e às fusões, que aumentaram a um ritmo surpreendente no final do século XX, devido à crescente concorrência decorrente da globalização. A indústria automóvel, por exemplo, assistiu a uma forte mudança, incluindo a aquisição da Rover pela BMW, da Volvo pela Ford e a fusão da Daimler-Benz com a Chrysler.

Outras indústrias registaram igualmente acontecimentos espectaculares, tais como a fusão da British Aerospace com o ramo Marconi Electronics System da GEC, e a fusão da Exxon-Mobil, em finais de 1998, que deu origem à maior companhia petrolífera mundial. Seguiu-se a fusão entre a BP e a Amoco em Agosto desse ano, uma empresa que depois surpreendeu toda a gente ao propor uma aliança com a Arco em Abril de 1999, com o intuito de criar a segunda maior petrolífera mundial. Todas estas alterações acarretaram grandes mudanças e um grande desmembramento nas culturas das organizações. Não interessa se se trata de uma OPA ou de uma fusão, a questão fundamental é encontrar a melhor forma de pôr as pessoas a desenvolverem uma identidade e lealdade para com a nova empresa. Se a delegação de poderes e a comunicação são difíceis de concretizar nas melhores alturas, ainda mais difícil é fazê-lo nestas circunstâncias.

Até agora, já identificámos os assuntos mais importantes com que as empresas têm de lidar quando se confrontam com a mudança. Estes incluem liderança machista, aposta no curto-prazo, incapacidade de adaptação suficientemente rápida, fracasso ao nível do topo e cultura organizacional. Se bem que esta não seja uma lista final, abarca os principais problemas com que se deparam actualmente as organizações, problemas que muitos começam, frustrados, a considerar difíceis de resolver. Iremos agora ponderar as chaves para o sucesso, incluindo uma análise das organizações que parecem ter descoberto estratégias bem sucedidas.

Chaves para o sucesso

Durante a nossa investigação, descobrimos inúmeras empresas que estavam a gerir a mudança de forma surpreendentemente positiva. Estas variavam em termos de dimensão, estavam dispersas por diferentes indústrias e eram tanto do sector público como do privado. Algumas delas publicaram o que estavam a alcançar, mas a maior parte estava demasiado ocupada e envolvida no que estava a fazer e não tinha tempo para reflectir sobre a sua viagem – porque era uma viagem onde se encontravam; uma viagem contínua, de mudança constante. Gary Hamel referiu-se a isto como 'gerir a maratona da mudança contínua'[3]. Esse mesmo autor comentava depois que não havia muitas empresas que fossem boas neste aspecto.

Contudo, algumas estão a gerir bem este processo e nós tivemos a sorte de conhecer algumas delas para descobrirmos onde é que estão a actuar de forma positiva. Analisámo-las, acrescentámos os nossos próprios pensamentos sobre quais os aspectos-chave e agrupámos tudo nos tópicos que considerámos relevantes.

Mudança total do comportamento cultural

A primeira parte do processo, que todas as empresas de sucesso levam a cabo, é uma mudança comportamental completa que abarca todos os colaboradores – sem quaisquer excepções. O objectivo é definir um conjunto de valores que não só coloca o comportamento humano no coração da cultura, como também se torna o catalisador para encorajar a liderança a todos os níveis da organização. A Honda levou isto mais longe, ao desenvolver a 'Filosofia Honda'. A ideia foi produzida sob a forma de um panfleto conciso em linguagem acessível, em 1992, escrito por Nobuhiko Kawamoto, o presidente executivo (CEO) da empresa. De modo particularmente importante, ele apreendeu o *input* de inúmeras filiais da Honda, particularmente nos maiores mercados daquela empresa automóvel, reflectindo assim os seus pontos de vista a nível internacional. A filosofia começa com as 'Convicções fundamentais' (que têm início com 'Respeito pelo indivíduo' – baseado na iniciativa, igualdade e confiança), seguindo-se o 'Princípio da empresa' e as 'Políticas de gestão'. É talvez significativo que, neste documento de onze páginas, a palavra 'automóvel' nem sequer apareça. Em vez disso, há palavras muito mais interessantes – como 'alegria', 'sonhos' e 'um espírito desafiante'. Estamos tanto mais conscientes das implicações de tal filosofia quanto podemos ver os seus resultados: a Honda sobreviveu à surpreendente decisão da British Aerospace de vender a Rover à BMW, em 1994, em vez de o fazer à Honda, dando seguimento a uma parceria bem sucedida que durava há 15 anos; resultou também num retorno do investimento em 1997, sendo apenas suplantada a esse nível pela Daimler-Chrysler.[4]

Outro exemplo proveniente da indústria automóvel é o do Volkswagen Group, no Reino Unido, que ilustra igualmente o impacto da mudança comportamental. A história começa no início da década de 90, um pouco antes do período de recessão. Nessa altura, a empresa era detida pela Lonrho, mas com uma opção de compra da totalidade *(buy-out option)* da fábrica (a empresa tinha sido comprada em 1973).

Richard Ide, director executivo, apercebeu-se de que as coisas estavam prestes a mudar na indústria automóvel e, muito particularmente, de que a posição de 'qualidade' da VW no mercado estava prestes a ser desafiada por uma concorrência mais barata. Percebeu também que a Lonrho estava em vias de o deixar sozinho no caso de a VW exercer a sua opção mais cedo. Assim, decidiu aproveitar essa oportunidade para fazer duas coisas: reduzir custos e inserir a empresa num programa de equipa e de mudança de cultura comportamental.

A prioridade foi o exercício de redução de custos. Este processo envolveu a supressão de hierarquias (passando-se de sete níveis hierárquicos para apenas três), a subcontratação de especialistas nas áreas em que as outras empresas tinham capacidades que a VW não conseguia igualar (i.e., TNT, AA, RAC e Unipart) e a redução da força de trabalho de 1400 para 500 indivíduos. Esta medida foi faseada durante um período de quatro anos, de 1989 a 1992, e foi bastante penosa, pois envolveu muitas dores de cabeça e a tomada de decisões difíceis, mas Ide sabia que eram essenciais para a empresa se manter em boa forma, com vista a enfrentar o futuro com confiança. Paralelamente ao exercício de redução de custos, a empresa geriu também um programa de equipa e de mudança de cultura comportamental. Isto durou dois anos (1991-92) e foi feito à medida da VW Reino Unido, envolvendo os 500 efectivos, incluindo o director executivo.

Este programa teve um efeito fortíssimo no comportamento dentro da empresa – mudando, fundamentalmente, a forma como as pessoas se relacionavam umas com as outras, incluindo o comportamento do próprio Richard Ide. Mais especificamente, conduziu a melhores competências para ouvir os outros, a uma comunicação mais aberta, a mais confiança – e, consequentemente, a mais autonomia. Permitiu à VW mudar radicalmente a forma como se faziam as coisas, o que, por sua vez, lhe permitiu manter-se bastante competitiva num mercado extremamente duro. E, como veremos mais adiante neste capítulo, o processo continua em curso.

Pudemos constatar, com este caso, que o director executivo participou inteiramente no programa de mudança. Este é um requisito fundamental para um programa deste tipo ter qualquer hipótese de sucesso. O impacto em cada indivíduo é marcante, mas é a influência sobre os restantes colaboradores que é crucial. Num outro exemplo, os autores disponibilizaram um programa de criação de equipa, que durou dois dias, destinado aos recém-eleitos reitores da Universidade de Exeter, no Verão de 1998, mesmo antes da tomada de posse dos novos cargos. A universidade tinha acabado de passar por uma reorganização radical que envolvera a fusão de 60 departamentos e centros dispersos em 17 novas escolas multidisciplinares, pelo que o programa foi uma importante parte do processo.

Como se pode imaginar, a mudança organizacional não iria ser bem acolhida por todos, pelo que os novos reitores das escolas iriam precisar de assistência e ajuda, particularmente durante o primeiro ano. Daí a importância deste programa

– e o papel desempenhado pelo vice-reitor, Sir Geoffrey Holland. Este alterou a data original escolhida para o curso, porque colidia com outro compromisso que lhe era impossível adiar, tendo depois frequentado o programa de dois dias na sua totalidade, variando a sua participação de forma a não inibir os outros (especialmente nos debates). A sua contribuição para o debate final foi muito importante pelo facto de ter admitido abertamente quais as áreas em que ele podia, pessoalmente, fazer melhor no futuro. O impacto na sua nova equipa de gestão sénior foi considerável, especialmente pelo facto de criar laços tão estreitos entre eles numa fase tão inicial.

É óbvio, depois de analisarmos estes dois casos, que o exemplo, quando vem de cima, é crucial para se conseguir uma mudança comportamental. Além disso, uma vez que se trata da fase inicial do processo, o comportamento dos gestores seniores numa fase de arranque reveste-se de uma importância enorme. É preciso que se reconheça que nem sempre é fácil para os que estão nos lugares de chefia (muitos dos quais terão estado na organização durante muitos anos e se encontrarão, muito provavelmente, na casa dos 40 ou 50 anos) contribuírem plenamente para um programa deste tipo. No entanto, os que enveredam por esta abordagem com alguma ansiedade podem sempre tomar como exemplo Richard Ide, que estava com cinquenta e poucos anos quando a VW abraçou este programa e, nessa altura, estava na empresa há cerca de 30 anos.

É também importante que haja o apoio de toda a organização. A Training Group Defense Agency da Royal Air Force (RAF) abraçou um imaginativo programa de mudança em 1997, sob a chefia do seu director executivo, o vice-marechal Tony Stables. Stables criou um excelente exemplo ao incentivar a delegação de poderes (empowerment) e ao incitar a sua equipa de chefias a libertar o talento criativo dos colaboradores. O efeito na Agência foi tremendo, uma vez que os vários estabelecimentos de formação começaram a aperceber-se do seu verdadeiro potencial. 'Começou a desenvolver-se um real sentimento de confiança em toda a organização e muitas pessoas me agradeceram por lhes ter dado essa oportunidade'.[5] Infelizmente, isto não foi correspondido pelo comportamento dos que se encontravam acima de Stables. Existia alguma desconfiança entre os gestores de topo. Ironicamente, tal baseava-se fortemente no facto de a Agência estar a utilizar terminologia de gestão que era estranha ao ambiente daquele serviço na altura.

Esta situação foi particularmente irónica porque os impressionantes resultados, contra os quais os mais críticos não puderam argumentar, foram alcançados pela boa liderança – não pela gestão. O resultado desta falta de apoio por parte dos gestores de topo da RAF foi restringir o ritmo de desenvolvimento, enfraquecendo a eficácia à medida que a energia começou a dissipar-se. Conforme observaremos mais adiante, esta sustentabilidade é um dos indicadores-chave de desempenho para a avaliação da eficácia da 'liderança da mudança'. A reestruturação é um processo complexo e ter apoio a partir do topo torna-se fundamental. Requer coragem pros-seguir sem ele; se houver oposição no topo, raramente se alcança o êxito.

O último ponto a mencionar nesta secção prende-se com o recurso a facilitado-res durante o processo de mudança comportamental. A VW e a RAF utilizaram ajuda externa, ao passo que a Exeter confiou na sua assistência interna. Não importa qual a alternativa que é usada, desde que os facilitadores sejam especialistas – e que sejam capazes de agarrar um objectivo e ter uma visão independente. Aqueles que confiaram nos seus recursos internos salientaram a importância do último ponto e também fizeram advertências em relação ao envolvimento do director executivo ou dos seus principais gestores seniores neste papel. É impossível mediar as inevitáveis tensões que irão ocorrer em tal programa e, ao mesmo tempo, tentar desempenhar um papel pleno no processo, na qualidade de executivo sénior.

O programa de mudança da cultura comportamental é o início do processo de transformação de uma organização. É um trabalho duro – por isso não deve ser subestimado – e é também essencial. Os mais reticentes devem inspirar-se na Ford, que, chefiada pelo seu presidente executivo (CEO), Jacques Nasser, envolveu todos os 55 000 assalariados num programa educacional intensivo e integrado.[6]

Demora tempo!

Alcançar sucesso com a mudança leva o seu tempo. Este simples facto, que se baseia na experiência de todas aquelas empresas que foram bem sucedidas, parece apanhar de surpresa muitas das que estão prestes a embarcar nesta viagem. A razão fundamental para que tal suceda é que um grande processo de transição irá desafiar as convicções e valores de cada indivíduo. Para se ajustarem à mudança, os indiví-duos precisam de passar pelos quatro estádios ilustrados na Figura 4.2: (1) negação – recusa em reconhecer que a mudança é necessária; (2) resistência – oposição acti-va à mudança; (3) exploração – testar vários aspectos da mudança; (4) compromisso – compreensão dos benefícios da mudança.

Estas fases são debatidas mais detalhadamente no Capítulo V.

A maior parte das pessoas passa por todo este processo enquanto procura racio-nalizar aquilo que lhes estão a pedir para fazer. Trata-se de um processo simulta-neamente externo e interno. Inicialmente, as pessoas poderão fazer de conta que se ignorarem o problema ele desaparece. É a 'externalização' da mudança. No entanto, à medida que vão avançando no processo, os indivíduos geralmente 'internalizam--no', porque vão vendo a mudança como uma ameaça crescente. Inevitavelmente, tudo isto leva tempo; com efeito, é importante que demore tempo, pois as pessoas precisam de ser convencidas dos benefícios de passar por tal experiência – e preci-sarão de ser convencidas disso vez após vez.

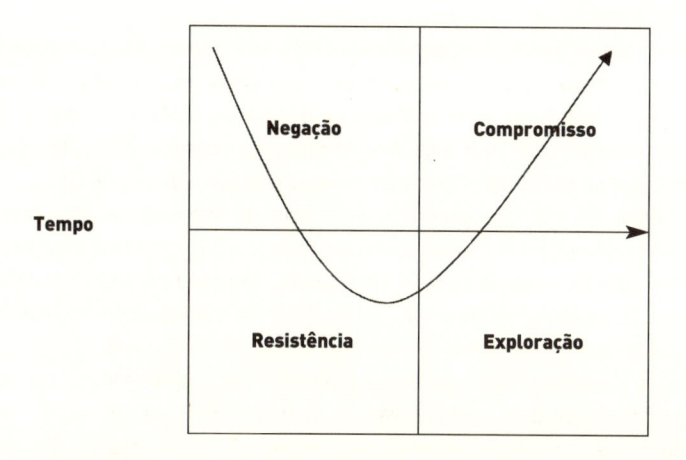

Figura 4.2. As quatro fases básicas de resposta humana à mudança

Não existem meias medidas neste processo. As organizações que pensam que podem descobrir uma fórmula mágica a partir de algum livro de gestão, adaptá-la às suas necessidades e proceder então a alguns ajustes estão a meio caminho de se desiludirem. Todas as lições retiradas das empresas consideradas as melhores do mundo mostram-nos que é preciso tempo – e que se trata de um processo contínuo. Tomemos o exemplo da BP. A empresa iniciou o seu programa de mudança de cultura em 1990 e passou de uma posição de onze ramos de actividade e 120 000 colaboradores nos anos 80 para três actividades principais e 57 000 colaboradores em finais da década de 90. O percurso da BP implicou transitar do poder tradicional e dos sistemas de apoio de uma hierarquia para uma cultura que envolve uma estrutura leve, partilha de autoridade, orientação *(coaching)*, conhecimentos cíclicos e confronto construtivo.[7] Muito disto foi conseguido antes da fusão com a Amoco – e ainda assim continua em curso.

Uma das outras razões pela qual demora tanto tempo é o facto de a mudança envolver novas formas de trabalho e também inovação. As empresas estão constantemente a procurar novas ideias e melhores métodos para obterem o melhor dos seus colaboradores. Isto requer uma certa energia de dentro da organização, que necessita de ser sustentada durante o período de transição. Este facto encontra-se ilustrado na Figura 4.3.

A Figura 4.3 relaciona-se com a Figura 4.2 na medida em que também define as respostas humanas às várias fases do processo (repare no cepticismo e nas dúvidas que surgem no início). Repare igualmente que não existe um percurso suave de progresso mas sim séries de 'picos' e 'quebras', à medida que a organização compreende o caminho que tem a tomar através de terrenos desconhecidos. É também relevante a importância do papel da liderança ao lidar com a inovação.

Quanto tempo é que tudo isto demora? O modelo sugere 'até dois anos' e a experiência das empresas que já passaram por este processo indica que é um período temporal bastante preciso para o primeiro estádio (com efeito, continua para sempre). Talvez o melhor indicador seja 'A noite negra do inovador' (*'The Dark Night of the Innovator'*), que se encontra mesmo no ponto mais baixo da curva. Como é que sabe quando chegou aí? A minha experiência própria diz que quando se acredita que as coisas já não podem piorar mais e mesmo assim pioram – então é quando se atingiu esse ponto! Como o leitor já se terá apercebido, não existe ciência para tudo isto. A maior parte da gestão aprende-se às nossas próprias custas, daí a frustração e o fascínio de tudo isto.

É preciso também possuir determinação para ver o processo de mudança ir em frente, interiorizando que existirão várias 'quebras' inesperadas, especialmente no início. Isto requer uma elasticidade considerável por parte dos líderes, bem como uma atitude de contínuo optimismo e incentivo enquanto se combatem os inevitáveis contratempos. Requer igualmente paciência, não apenas por causa do processo mas também devido ao efeito sobre as próprias pessoas. Conforme Sir Geoffrey Holland afirma: 'Eu poderia ter introduzido as mudanças de forma mais rápida, mas isso teria talvez provocado um muro de resistência'.[8] A outra razão para a elasticidade é o facto de não haver fim neste processo. Estamos agora numa era de contínua mudança, que significa mesmo isso. Se olhar para todas as organizações que estão a manter as suas posições como líderes mundiais, isso deve-se ao facto de se terem ajustado ao ritmo desta maratona. Isto aplica-se tanto à General Electric como à BP Amoco, Honda, Ford ou Xerox.

Para nos ajustarmos ao tempo que demora gerir o processo de mudança, é necessária antecipação e flexibilidade. É preciso também que haja uma abordagem inteligente e sensibilidade para assegurar que as pessoas têm capacidade para lidar com o processo. Cada vez mais organizações se estão a aperceber de que o caminho não é sempre a direito e que são necessários alguns dos melhores cérebros, tanto dentro como fora da organização, para garantir que se atinge o patamar do óptimo.

Boa comunicação

Quando Archie Norman assumiu o cargo de director executivo na Asda (cadeia de armazéns) em 1991, os clientes estavam a diminuir, o preço das acções estava muito baixo e os trabalhadores estavam desanimados. Num período de quatro anos, Norman deu uma volta de tal forma eficaz que a Asda se tornou na 'preferida' da City (centro financeiro londrino). Norman conseguiu-o ao libertar os trabalhadores com uma gestão imaginativa e um objectivo claro na comunicação.

A sua abordagem abrangeu todo o espectro desta área crucial, incluindo uma

Respostas organizacionais à mudança

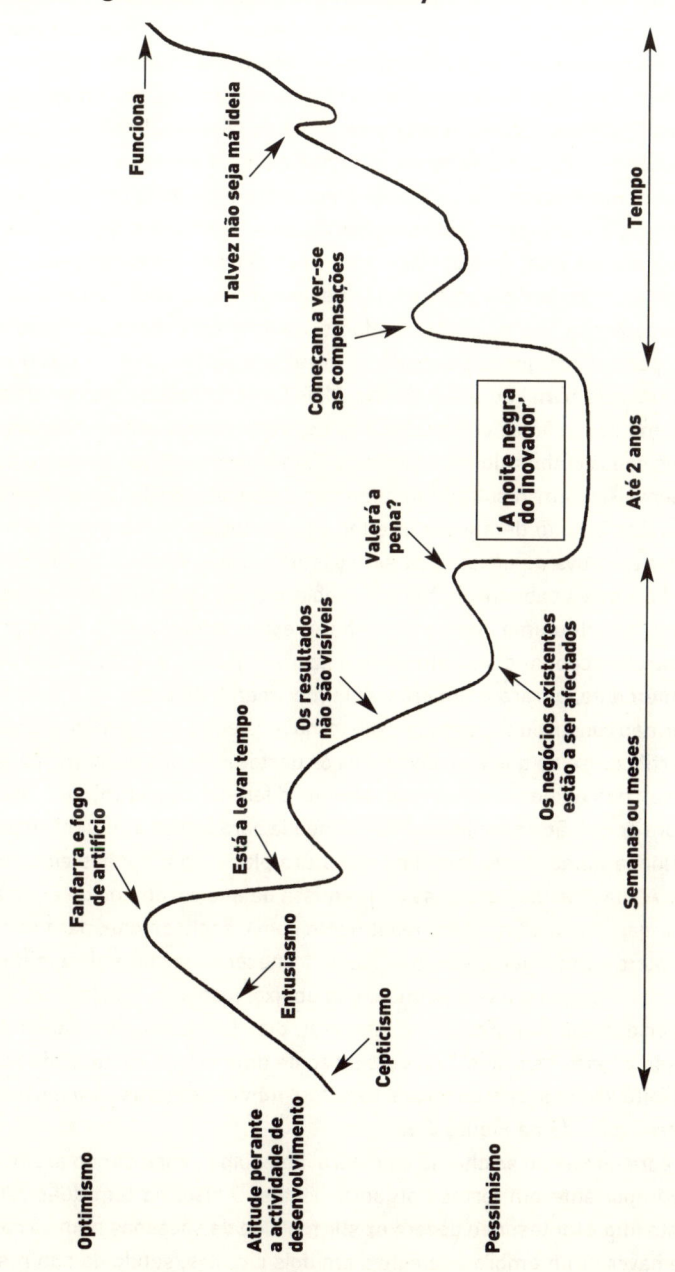

Figura 4.3 A anatomia da inovação

insistência para que todos o tratassem por 'Archie', uma activa campanha de bom ouvinte (que incluiu o esquema 'Digam ao Archie' *(Tell Archie)* que recolheu 14 000 sugestões nos primeiros 18 meses) e a introdução de reuniões mensais da administração nos armazéns durante as quais se esperava que os seus membros falassem a cerca de 35 pessoas, tanto trabalhadores como clientes. Introduziu também a ideia empreendedora do boné de basebol da Asda, para ser usado pelas pessoas que não quisessem que falassem com elas por precisarem de duas horas para os seus pensamentos. Curiosamente, Norman nunca usou o seu boné porque quis estar sempre acessível no seu local de trabalho. Deixava os pensamentos para casa.

Norman desenvolveu uma política de comunicação aberta, que ajudou a desbloquear o potencial dos seus trabalhadores. A sua abordagem é particularmente significativa porque instigou um sentido de orgulho e pertença entre o seu pessoal, apesar da natureza banal do seu trabalho. Mais tarde, introduziu outras ideias, tais como o esquema de opção de compra de acções, que cimentaram ainda mais o laço que o unia aos seus colaboradores. Mas nada disto teria sido possível sem a confiança que foi desenvolvida em resultado de uma comunicação aberta. Esta abertura foi construída sobre o facto de ele sempre ter dito as coisas 'como elas eram'. Não houve qualquer tentativa de disfarce da situação no início. A Asda estava em maus lençóis, os colaboradores sabiam-no, Norman sabia-o e não tentou dissimular esse facto. Em vez disso, adoptou uma abordagem franca, especialmente durante os primeiros dias de reestruturação, que, inicialmente, o fizeram ganhar o respeito dos outros e, consequentemente, geraram um crescente movimento de apoio.

Norman construiu também em seu torno uma equipa de gestão estreitamente ligada e certificou-se de que conhecia todos os gestores de armazém (cerca de 200). Outra empresa, numa indústria completamente diferente, desenvolveu uma imaginativa estrutura de gestão especificamente delineada para tornar a comunicação mais eficaz.

A Honda Reino Unido tem uma estrutura plana, com apenas cinco níveis hierárquicos. A sua filosofia baseia-se na premissa de que o trabalho de equipa é essencial numa organização plana. Têm igualmente consciência de que, para ser eficaz, qualquer sistema de comunicação precisa de fornecer uma clara disseminação da informação, tanto para os níveis acima como abaixo, dispondo igualmente da capacidade de saber escutar. Ken Keir, director-geral, diz: 'É importante criar uma clara compreensão a todos os níveis'.[9] A conjugação de uma estrutura baseada numa equipa e o requisito de boa comunicação resultou numa estrutura organizacional que se encontra ilustrada na Figura 4.4.

Repare que a isto se chama estrutura 'de equipa', enfatizando assim o que é realmente importante em termos organizacionais. O sistema tem duas regras que são bastante importantes: não devem existir mais de dez pessoas num círculo de equipa; e deve haver um membro que esteja em dois círculos, sendo da sua responsabilidade ser o canal de comunicação entre ambos. Com estas duas orientações muito sim-

Estrutura de Equipa

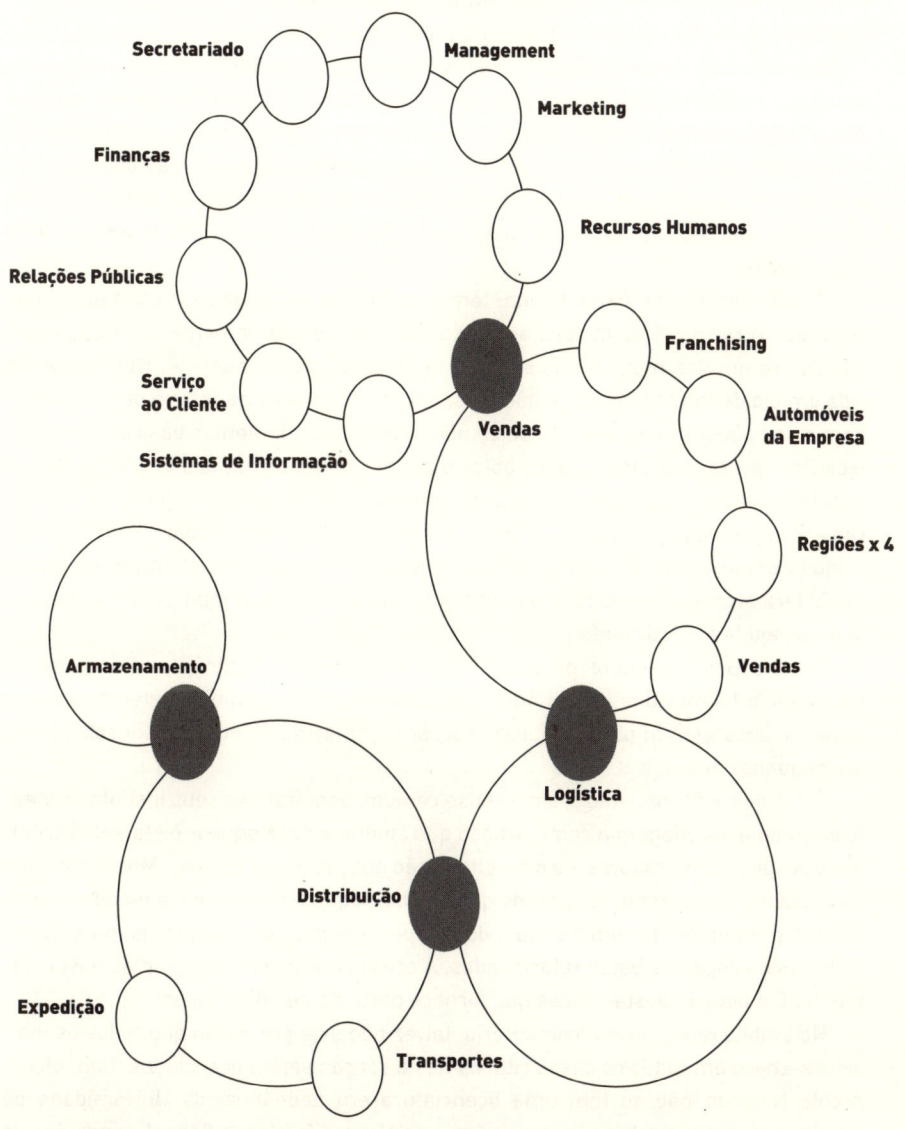

Figura 4.4 Estrutura da equipa da Honda, Reino Unido (reproduzida com a amável permissão do director-geral, Honda UK)

ples, a Honda desenvolveu uma estrutura muito mais eficaz, que reforça as comunicações em vez de as impedir. Também não é por acaso que não existe qualquer forma hierárquica para isso. Com efeito, não existe qualquer 'forma' dessa qualidade. Saliente-se também que a equipa de gestão inclui a secretária como um membro igual aos restantes. A Honda desenvolveu uma estrutura que é tanto simbólica quanto prática, baseada na sua filosofia e na experiência de anos.

Em contraste com estas duas grandes empresas, a Wagadon, empresa editora de revistas, emprega apenas 75 pessoas a tempo inteiro. Contudo, a sua influência é considerável entre a faixa etária dos 16 aos 25 anos, essencialmente devido às revistas mensais de culto *Arena* e *The Face*, cuja circulação ascende a 68 000 e 79 000 exemplares, respectivamente. A empresa tem sede num grande armazém na zona Norte de Londres, com um andar para cada uma dessas revistas, num ambiente de *open-space*.

O editor da *Arena*, Ekow Eshun, tem o escritório numa das extremidades, mas consegue ouvir a calma música de fundo que toca constantemente. Tem 30 anos e aos 28 era um dos mais jovens editores de uma revista de homens. Nunca teve na vida um dia de formação em gestão mas, apesar disso, parece estar a desempenhar bem o seu papel devido ao facto de compreender os fundamentos básicos da comunicação e a sua importância para obter o melhor do potencial das pessoas: 'O meu papel é trazer o meu próprio entusiasmo para a revista e ajudar as pessoas a sentirem-se orgulhosas por trabalharem na *Arena*. Trabalhar em conjunto, como equipa, é muito importante – é uma visão que se partilha e uma fonte de divertimento! A atmosfera aberta e o ambiente de descontracção ajudam à comunicação, o que, por sua vez, ajuda à criatividade'.

Richard Benson, editor do grupo Wagadon, também confirmou: 'É importante estimular o talento dos jovens que aqui trabalham. Isso significa estar disponível, ouvir – e encorajar. Implica também descobrir formas de delegar responsabilidades em pequenas áreas'.[10]

Estes dois editores utilizaram o senso comum, seguiram os seus instintos e idealizaram uma abordagem à comunicação que ajudou a desbloquear os talentos criativos dos seus colaboradores – e o resultado são duas revistas de êxito. Mostraram que isto nada tem de complicado, desde que, primeiro que tudo, se pense no que se está a fazer, para então dar um exemplo de comportamento que assente na integridade. Todos estes aspectos estão relacionados. A comunicação não pode ser vista isoladamente. É a ligação destas peças que fornece parte do desafio intelectual.

No âmbito deste último comentário, talvez não seja por acaso que todos os indivíduos-chave em todos os casos citados nesta secção sejam licenciados. Com efeito, Archie Norman não só tem uma licenciatura em Economia, da Universidade de Cambridge, como também tirou um curso na Harvad Business School, tendo depois sido consultor de gestão da McKinsey & Co.

Delegação de poderes

Quando Dennis Bakke, o presidente executivo (CEO) da AES Corporation (a maior empresa mundial de electricidade) foi questionado numa entrevista à *Harvard Business Review* sobre a forma como tornou a empresa numa estrutura com delegação de poderes, respondeu: 'Nós sabíamos que pretendíamos criar um tipo de empresa muito diferente, isso é certo. Creio que não utilizámos a expressão 'delegação de poderes' *(empowerment)* – não tenho a certeza, foi por volta de 1981'.[11] Aquela expressão tem sido tão exageradamente usada e mal compreendida que há muitas pessoas que desejam que nunca tivesse sido inventada! É quase como se a própria palavra tivesse criado uma barreira; no entanto, a base da delegação de poderes é fácil de compreender. Na mesma entrevista, Roger Sant, presidente e fundador da AES, explicou: 'O nosso sistema começa com uma ausência de hierarquia. Nós detestamos os advogados. Evitamo-los como o diabo foge da cruz... Assim sendo, organizamo-nos em torno de pequenas equipas... cada uma constituída por cinco a 20 pessoas... Estamos a caminhar para um sistema em que cada equipa tem total responsabilidade pela sua área, tanto em termos de operações como de manutenção'.[12]

Com estas parcas e simples frases, Sant chegou ao cerne da delegação de poderes. Tem tudo a ver com a rejeição de uma hierarquia, em prol de pequenas equipas e responsabilização. Parecem existir duas razões fundamentais para as organizações considerarem a delegação de poderes tão difícil. A primeira prende-se com a relutância em desistir das hierarquias; a segunda, com a falta de determinação para vislumbrar o processo até à sua conclusão. Esta última requer uma grande dose de paciência e uma capaciade de adaptação ao processo à luz da experiência (é relevante o facto de a AES estar ainda a aprender e a adaptar-se, 18 anos depois de ter iniciado o seu percurso na linha da delegação de poderes).

Na base da delegação de poderes estão os valores. Já verificámos que este é o suporte da cultura organizacional, pelo que não é surpreendente ver a sua importância ser de novo destacada. Sem um claro conjunto de valores não pode haver confiança e sem confiança não pode haver delegação de poderes. Isto torna-se evidente com o exemplo de empresas que já analisámos, tais como a AES, Asda e Honda; e é particularmente verdadeiro para a Levi Strauss. Numa entrevista à *Management Today*, Haas (director executivo) salientou que a empresa sempre tentou conduzir os seus negócios de uma forma consistente com os seus valores, o que implicou o reconhecimento daqueles que contribuíram para o seu sucesso: 'Colaboradores motivados são a nossa fonte de inovação e vantagem competitiva'.[13]

A Levi Strauss foi ainda mais longe, ao alargar esse reconhecimento a um esquema de recompensa que envolveu o compromisso, celebrado em Junho de 1996, de pagar aos seus 37 000 colaboradores um ano de salário como bónus, para celebrar o novo milénio – pagável até 2002. Inevitavelmente, neste atraente esquema havia uma parte em letrinhas pequeninas que passava por alcançar um *cash-flow* líquido cumulativo no valor de 7,6 mil milhões de dólares no final do exercício fiscal de 2001 (que era considerado alcançável). Mas a importância desta iniciativa mostrou a fé que a gestão tinha na sua força de trabalho. Tinha tudo a ver com propriedade *(ownership)* e partilha – e teve um impacto imediato.

Mesmo quando a empresa teve de despedir um terço dos seus empregados um ano mais tarde, tornou claro que aqueles que tinham sido considerados excedentários receberiam à mesma o bónus, bem como um aviso prévio de oito meses e ajuda na procura de um novo emprego. Haas acreditava que, apesar do programa de redução de pessoal, o generoso pacote inerente à rescisão com a empresa ajudaria os que ficassem para trás: 'Os nossos colaboradores saberão que, mesmo que haja momentos difíceis, serão tratados muito melhor do que seriam em qualquer outro local'.[14] A Levi Strauss foi generosa quando os colaboradores se saíram bem e o seu presidente executivo (CEO) achou que também deveria ser justo quando não se saíam tão bem. Isto vai ser testado nos próximos dois anos, atendendo ao anúncio, em Março de 1999, de que as vendas tinham diminuído 13% em 1998.

Ao debatermos valores, mencionámos também a propriedade. Para que a delegação de poderes funcione, tem de haver um verdadeiro sentimento de propriedade por parte dos colaboradores. Já vimos de que forma se conseguiu isso na Asda e trata-se de algo que também foi desenvolvido eficazmente na John Lewis Partnership, que detém 25 armazéns *(department store)* e uma cadeia de 120 supermercados Waitrose. Spedan Lewis herdou o bem sucedido negócio da John Lewis que o seu pai fundara em Oxford Street, mas transferiu o seu lucro para uma companhia fiduciária em proveito dos trabalhadores *(Partners)*, acreditando que os seus investimentos eram tão cruciais para o sucesso como as finanças e que deveria, assim sendo, partilhar os lucros. Foi uma visão perspicaz dos primeiros anos do século XX, uma vez que mesmo ainda hoje poucas empresas se mostrariam prontas a equiparar a importância dos seus colaboradores com a dos seus accionistas. No entanto, é estranho que o real benefício de tal abordagem não tenha sido percebido por mais organizações.

Em resultado da decisão tomada por Spedan Lewis 60 anos antes, em 1999, os 40 000 sócios (partners) que trabalhavam para a John Lewis e Waitrose dividiram um bónus de lucros no valor de 81 milhões de libras. Stuart Hampson, o presidente, colocou a questão nos seguintes termos: 'A propriedade tem de significar alguma coisa'. Além disso, afirmou ainda: 'A alegria é um objectivo fundamental para a gestão. As pessoas precisam de um sentido de realização, uma sensação de satisfação. Se forem felizes no trabalho, estão mais predispostas a dar o seu melhor'.[15] Esta ligação à propriedade, alegria e divisão dos lucros transmite uma transparência que é crucial, caso se queira que o sentimento de propriedade signifique realmente alguma coisa. Hampson mantém a alegria na agenda, entrevistando os seus 60 gestores de topo para descobrir o que eles fazem quanto a esse assunto.

Um outro bom exemplo de sentimento de propriedade vem do Grupo Volkswagen, no Reino Unido. Já vimos como passaram por uma mudança comportamental radical e sabemos que Richard Ide acredita convictamente na delegação de poderes. O resultado de tudo o que se pensou dentro da empresa durante o processo de mudança cultural no início da década de 90 levou à percepção de que a própria estrutura organizacional precisava de ser alterada. Tal facto provém da confirmação de que era difícil ser bom em tudo: 'Assim sendo, se queremos ser realmente bons, devemos delegar poderes às pessoas e permitir-lhes que se tornem boas profissionais nas suas próprias áreas'.[16] Com esta filosofia em mente, o grupo dos gestores seniores, constituído por cerca de 80 pessoas, reuniu-se um dia, em 1994, para idealizar uma nova estrutura autónoma. O resultado final foi o diagrama da Figura 4.5.

Este exercício de planeamento com vista a delinear uma nova estrutura dá-nos um excelente exemplo de propriedade – e o diagrama resultante traduz-se numa imagem esplêndida de delegação de poderes. Baseia-se na premissa de que as decisões importantes são as que são tomadas pelas marcas (Audi, Skoda, VW, etc.) e, consequentemente, que elas são os maiores satélites na área de responsabilidade do Grupo VW, no Reino Unido. Estas, por sua vez, relacionam-se internamente com cada um dos clientes através dos vendedores (cada marca tem um tipo de cliente diferente) e externamente com as fontes externas especializadas (AA, RAC, TNT, Unipart, etc.) e também com o departamento relevante da 'sede' (Processo Negocial & Sistemas, Pessoal & Desenvolvimento, etc.). A sede faz a ligação à Volkswagen AG. Conforme reparámos no início do capítulo, o director executivo não aparece no diagrama e a ideia de uma 'sede' é deliberadamente difundida através da sua representação na estrutura apenas sob a forma de departamentos funcionais.

Trata-se de um diagrama notavelmente transparente de delegação de poderes. É talvez significativo que, apesar do processo de planeamento ter começado em 1994, tenham sido precisos mais três anos até o diagrama estar realmente delineado. A força do sistema é salientada pelo facto de o comportamento da delegação de poderes se estender à Volkswagen AG. O presidente executivo nunca telefonou a Richard Ide enquanto este se manteve no cargo de director executivo (confiou na relação que se tinha desenvolvido entre Ide e o seu principal elemento do conselho de administração). Mesmo este último só lhe telefona três ou quatro vezes por ano.

A propriedade é isto. Está fundamentalmente dependente do comportamento de liderança no topo da organização – e essa é a chave da delegação de poderes. Embora Richard Ide tenha desenvolvido o seu estilo antes de Ferdinand Piech ter assumido a presidência do Grupo Volkswagen a nível internacional, a abordagem à gestão era a mesma: confiança, propriedade e delegação de poderes – e isto reflectiu-se nos seus comportamentos.

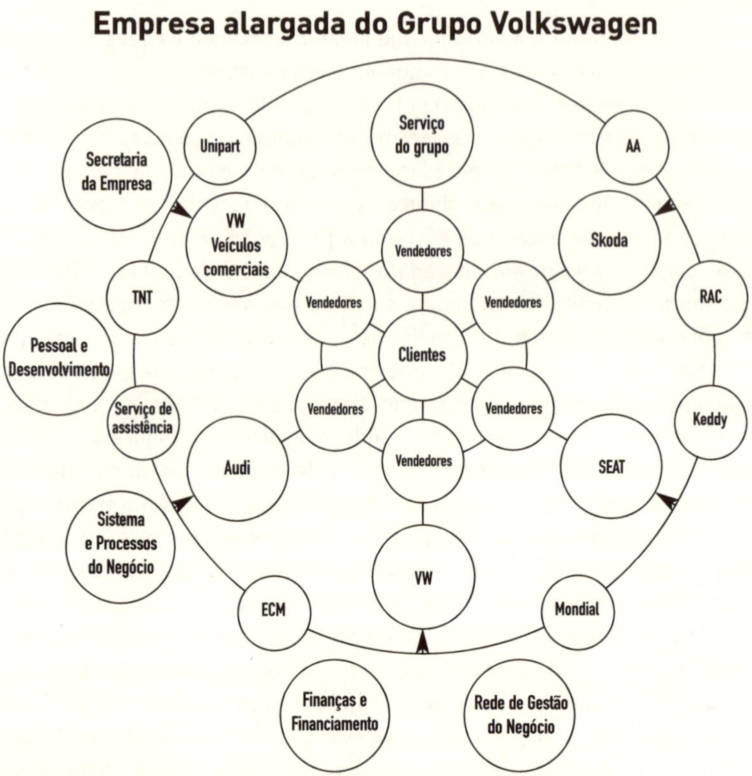

Empresa alargada do Grupo Volkswagen

Figura 4.5 Empresa alargada do Grupo Volkswagen (reproduzido com a gentil permissão do director executivo, do Grupo Volkswagen no Reino Unido)

Quando se conheceram, em 1993, Piech usou uma frase deliciosa que resumiu a sua atitude: 'Você é tão livre quanto é bom profissional'.[17] Algo semelhante foi dito a um dos autores deste livro pelo Comandante de Brigada quando o autor estava em vias de assumir a chefia de um Comando dos Royal Marines. Teve o efeito de transmitir uma grande dose de confiança, que resultou numa importante auto-confiança no momento de assumir um cargo de tão elevada responsabilidade. Um dos mais importantes papéis de um líder de topo é estimular a confiança da sua equipa de gestores seniores, especialmente os que desempenham papéis de liderança. O líderes precisam de apoio se, em contrapartida, têm em mãos fomentar uma atmosfera de confiança dentro das suas organizações.

Este comportamento influencia tudo – e precisa de ser consistente. Por exemplo, ninguém tem escritório na VW. Isto reforça a filosofia de comunicação aberta, confiança e uma cultura que não dá ênfase ao estatuto e privilégio. Ide tinha um 'espaço' dentro daquele ambiente de *open-space* e estava a apenas uns passos da mesa de trabalho da sua secretária. Numa outra empresa automóvel, a Honda, o director executivo tem o mesmo pacote de regalias que a sua secretária (incluindo o direito a um automóvel da empresa). A Asda, a Honda e a Mitel (empresa de telecomunicações com sede a sul do País de Gales) têm salas de reuniões que podem ser utilizadas por qualquer pessoa. Estas são a fonte de criatividade, onde as ideias são desenvolvidas e a inovação surge, desde as equipas de especialistas até aos gestores seniores.

Todos os líderes em lugares de topo nestas organizações criam um exemplo de comportamento consistente dia após dia. Eles sabem que isso é crucial, caso queiram fazer libertar todo o potencial dos seus colaboradores. Bakke, da AES, salientou a importância deste facto quando falou da dificuldade em conseguir líderes para 'livre e consistentemente desistirem do poder para tomar decisões. Há constantemente decisões de vida ou morte no nosso trabalho a toda a hora... Mas a delegação de poderes torna-as mais seguras – e não mais arriscadas. Se uma equipa sente que é totalmente tida em conta, sente-se mais responsabilizada do que sabendo que quem conta é o chefe'.[18]

Todas as organizações que realmente desenvolveram a delegação de poderes aprenderam a transitar de uma liderança do tipo 'comando e controlo' para uma liderança de orientação *(coaching)*, facilitação e apoio. Aquelas que o conseguiram estão cada vez mais à frente relativamente às organizações que não o fizeram.

Sustentar a mudança

Várias empresas conseguiram registar progressos no que diz respeito aos factores-chave de sucesso que debatemos anteriormente, mas ainda não conseguiram gerir bem o processo de mudança. Tal deve-se, em larga medida, ao facto de não terem sido ainda capazes de sustentar essa mudança durante um longo período de tempo. Para se alcançar isso, é necessário desenvolver uma abordagem que permita à organização sentir-se confortável com a descontinuidade. Isto não é fácil, especialmente para um órgão que existiu durante muito tempo, desenvolveu uma cultura durante vários anos – e teve sucesso. Implica um sistema de valores 'desafiante' e uma inquietação constante para melhorar continuamente. O Mars Group tem esse sistema de valores, que é desenvolvido nos seus colaboradores desde o dia em que entram na empresa (eles sabem que manter a liderança no mercado depende da sua capacidade para inovar continuamente). Implica também um desejo constante de desafiar a sabedoria existente e mudar as regras do jogo.

Num artigo publicado na *Fortune Magazine*,[19] Gary Hamel salientou que as empresas de topo prosperam com essa abordagem e ilustrou essa realidade com os exemplos da Coca-Cola, Harley-Davidson, Nike e Nokia. Esta abordagem desafiante desempenha um papel crucial de liderança que importa ser adoptado se a organização quer ter qualquer esperança de sucesso. É uma das razões pelas quais a liderança no topo de uma organização muitas vezes tem de ser mudada antes de se registar qualquer progresso real.

Outro factor demonstrado por aqueles que estão a ser bem sucedidos é a capacidade para antecipar. Se bem que seja um requisito normal de gestão, assume hoje um novo significado, no actual ambiente de contínua mudança. Agora significa prever qual vai ser o futuro e tomar as medidas de antecipação necessárias para ir ao encontro do futuro com as respostas certas. Um exemplo disto foi o arranque da Prudential com a sua iniciativa de um banco-directo (direct-banking) em 1998, que recebeu o nome de 'Egg'. Foi uma ideia inspirada no que tinha sido uma tradicional companhia de seguros que desafiou directamente o velho mundo da banca a retalho no Reino Unido, que, até há bem pouco tempo, apenas era servido por quatro grandes bancos.

Assegurar o sistema de valores desafiante e a antecipação envolve três ingredientes essenciais: integridade, compromisso com o desenvolvimento das pessoas e uma cultura de equipa. Todas as organizações com mais sucesso evidenciam um elevado nível de integridade. Progridem com o exemplo dos seus líderes (facto que analisaremos no Capítulo VI) e baseiam-se na honestidade e abertura. Vezes sem conta ouvimos estas simples palavras durante a nossa investigação. As empresas que estão a ter sucesso tinham uma abordagem muito aberta, tanto em relação aos seus empregados como aos seus clientes. Mostraram-se também muito confiantes e não se importariam de partilhar informação sensível que pudesse ser de uso para os seus concorrentes. Esta abordagem despretensiosa contrastava com as organizações menos bem sucedidas, que por norma se revelavam paranóicas em relação aos seus concorrentes.

A honestidade reflectia-se amiúde no reconhecimento de erros. Com efeito, este é um bom teste de honestidade. Quando uma organização é honesta consigo própria, esse não é apenas o primeiro passo, pode ser também o início de um novo tipo de relacionamento com o 'cliente'. Isso sucedeu quando Sir Paul Condon, comissário da Polícia Metropolitana, pediu desculpas aos pais de Stephen Lawrence em Outubro de1998, pelo fracasso da Polícia em apanhar os assassinos do adolescente negro. Isto surgiu com o Inquérito de Sir William Macpherson, que conseguiu provas da incompetência dos polícias envolvidos neste trágico incidente.

Embora tenha havido bastante raiva e emoção em torno deste caso, que prosseguiu depois do Relatório de Inquérito ter sido feito em Fevereiro seguinte, o reconhecimento por parte de Condon encorajou o público em geral a acreditar que havia uma determinação por parte das chefias da Polícia Metropolitana no sentido de mudar a cultura instituída. Para que uma organização sustente a mudança, a honestidade é geralmente um primeiro passo essencial.

Desenvolver as pessoas é outro ingrediente essencial. A diferença entre as empresas que estão realmente a passar à frente e as que estão a estagnar consiste no forte compromisso dos seus colaboradores. Por diversas vezes nos deparámos com empresas que diziam valorizar os seus colaboradores mas cujos actos não coincidiam com as palavras. Disponibilizaram programas de formação limitados, não receberam qualquer formação em termos de enriquecimento pessoal e cancelaram o orçamento para a formação e desenvolvimento ao primeiro sinal de crise financeira. Esta última não só aconteceu durante a recessão no início da década de 90, como – inacreditavelmente – voltou a suceder no Verão de 1998 quando, durante dois meses, parecia que a turbulência financeira na Ásia teria graves implicações a nível mundial. Apesar de ser compreensível alguma precaução, um surpreendente número de empresas no Reino Unido ainda não tinha retomado os seus orçamentos para formação um ano depois.

As organizações de âmbito internacional não têm abordagens de curto prazo para o desenvolvimento dos seus colaboradores. Estão fortemente empenhadas em fornecer-lhes oportunidades de aprendizagem, de forma a que cada indivíduo tenha hipótese de crescer e atingir o seu pleno potencial. Por exemplo, várias empresas têm as suas próprias universidades, tais como a Unipart e a British Aerospace; a Stagecoach desenvolveu um espaço de aprendizagem disponível para todos; e o Colégio de Gestão da GEC está a funcionar como ponta de lança da iniciativa da empresa para tornar-se uma 'organização de aprendizagem', adoptando uma abordagem anárquica, que envolve programas tanto formais como informais, concebidos para derrubarem as barreiras funcionais.

Este compromisso com os colaboradores está patente no comportamento dos líderes de topo. Quando questionado sobre o que lhe tirava o sono à noite, um antigo secretário permanente na Whiteball respondeu que não eram as decisões em termos de política que o preocupavam mais; eram os dilemas com as pessoas que o preocupavam. Teria ele escolhido a pessoa certa para ser promovida? Seria um determinado indivíduo adequado para um cargo específico? Tal prioridade não se restringe ao sector público. O director executivo da Honda Reino Unido passa três a quatro horas por semana com o director de Recursos Humanos, a falar sobre os colaboradores. Esta atenção aos colaboradores trouxe-lhe recompensas: 'Tenho neste momento uma jovem equipa que está a operar ao nível da gestão sénior com muito mais sucesso'.[20]

Este compromisso também envolve a criação de cargos desafiantes, tanto para puxar pelos mais talentosos como para descobrir o quanto eles são bons naquilo que fazem. Isto está ligado ao planeamento da sucessão, que deveria ser uma segunda natureza das organizações mas que, infelizmente, não é o caso, mesmo em algumas das boas empresas. Desenvolver o capital intelectual é outro aspecto que as melhores empresas estão a promover. À medida que o mundo se torna mais complicado, agora que estamos a entrar na Era do Conhecimento, as empresas à escala mundial estão a investir um considerável montante no recrutamento e posterior desenvolvimento de indivíduos com capacidade para realmente aprenderem. Alguns deles são abençoados com inteligência, outros são menos dotados intelectualmente, mas compensam com a determinação em aprender. As organizações precisam de ambos se quiserem ser bem sucedidas no futuro. Algumas, como a BP, fazem isto há anos.

O aspecto final prende-se com o desenvolvimento de uma cultura de equipa. Demasiadas empresas fracassaram porque as decisões foram deixadas nas mãos de uma pessoa – o presidente executivo. Repetidas vezes, a posição isolada e de chefia do presidente executivo resultou em decisões cruciais tomadas por apenas uma pessoa, com pouco ou nenhum aconselhamento. É difícil perceber como é que isto pode continuar a acontecer, atendendo a tudo o que se tem dito acerca de delegação de poderes e ao cada vez maior empenho num estilo mais democrático de gestão. Mas, mesmo assim, talvez isso seja de esperar, dado o impulso egocêntrico que motiva muitos dos que estão no topo das organizações. Porque é o comportamento do presidente executivo que é a chave da cultura de uma empresa. Se ele não estiver interessado em desenvolver uma abordagem de equipa, isso não acontecerá. Curiosamente, um crescente número de presidentes executivos abriu deliberadamente mão do seu poder e estatuto, com vista a incentivar uma abordagem de equipa. Fizeram-no, em grande parte, por razões pragmáticas, uma vez que perceberam que é a melhor forma de manter os seus melhores colaboradores, sendo também uma maneira de ver surgir soluções inteligentes que cada vez mais são essenciais para o sucesso.

Este é também um bom meio para desenvolver uma abordagem estratégica dentro da empresa que se concentra no longo prazo e junta um grupo empenhado de pessoas que se dedicam a adaptar-se à mudança contínua. É igualmente uma boa forma de construir o caminho da sucessão procurando dentro da organização, em vez de ter de confiar em talentos externos.

Nos níveis mais baixos da empresa, o sistema de valores de equipa assume a mesma importância. Apesar de um número cada vez maior de empresas se ter apercebido disto e estar a concretizá-lo, poucas seguiram o passo lógico de compensar o trabalho de equipa em vez do individual.

As vantagens desta abordagem de equipa é evidente no sistema global de valores das empresas japonesas e na Levi Strauss. A virtude de desenvolver líderes internos é exemplificada com o sucesso de Jack Welch na General Electric e por uma sucessão de bons presidentes executivos na BP. O desperdício de energia de não fazer a orientação (coaching) interna de candidatos para o cargo mais alto da empresa é óbvio quando se observa o que aconteceu no Barclays. Não só recrutaram Martin Taylor do exterior, como ele subitamente se demitiu, e se aperceberam depois que não havia ninguém na lista para lhe suceder.

No que diz respeito a este assunto, parecerá que o sector público tem um sistema melhor. Não só se focam na abordagem de equipa como também se esforçam por ter pelo menos dois candidatos para o lugar de topo – pelo menos isto é verdade no Exército Britânico. É de certa forma surpreendente que aquele que não ascende ao mais alto cargo de chefia tenda, não a demitir-se mas, em vez disso, a funcionar como número dois ou a actuar numa outra valência. Isto deve-se ao facto de nas Forças Armadas haver a compreensão de que a equipa é sempre mais importante do que o indivíduo. Tal facto revela que as organizações de topo realmente compreendem o que significa um sistema de valores de equipa. Está profundamente enraizado nas suas culturas.

Sumário

Neste capítulo, observámos os aspectos que as empresas têm de ter em conta quando se deparam com um ambiente em constante mudança. Estes incluíram: 'liderança machista', 'curto-prazismo', incapacidade de adaptação suficientemente rápida, fracasso no topo e cultura organizacional. Além disso, esta análise revelou que existe um fosso cada vez maior entre as organizações que estão a gerir bem a mudança e as que não estão.

Ao ponderarmos as 'chaves para o sucesso' retiradas dos exemplos das empresas que se estão a sair bem, verificámos que a primeira parte essencial do processo consiste numa mudança cultural completa a nível comportamental. E trata-se de algo com base em valores, trata-se de um processo contínuo e está dependente do total compromisso do topo. O segundo ingrediente é a comunicação aberta. Baseia-se na confiança, com ênfase no trabalho de equipa, e há um esforço determinado para soltar os talentos criativos das pessoas que trabalham na empresa. Além disso, as empresas mais eficazes procederam a reestruturações com vista a que os seus procedimentos ajudem de forma positiva a melhorar a comunicação, em vez de a impedir.

O terceiro aspecto centra-se na delegação de poderes. Uma vez mais, baseia-se na partilha de valores que, por sua vez, são transferidos para o sentimento de propriedade. Há uma rejeição de hierarquias e isto é reforçado pelo comportamento e o exemplo estabelecidos pelos que se encontram no topo da organização.

O quarto e último aspecto é a capacidade para sustentar a mudança. Requer uma considerável elasticidade por parte dos líderes de topo, bem como capacidade de antecipar. Requer igualmente um sistema de valores 'desafiante' que consiste em três ingredientes-chave: integridade, compromisso de desenvolver as pessoas (e, assim, o 'capital intelectual') e uma cultura de equipa.

Conseguir consolidar tudo isto é o comportamento que se quer do líder. Isto é essencial para uma gestão bem sucedida da mudança e implica:

→ coragem moral
→ integridade

→ capacidade para realmente ouvir

→ prontidão para assumir erros

→ confiança

→ consistência

Nada disto é fácil. Mas nem liderar a mudança o é. No entanto, desde que os líderes dêem bons exemplos, podem alcançar-se extraordinárias mudanças, visto que isso dá confiança a todas as pessoas da organização, que desejarão *realmente* contribuir.

Só mais uma coisa. Poderemos ter dado a impressão, ao longo deste capítulo, que 'a mudança é boa para si'. Pode ou não sê-lo: contudo, isto está para lá do ponto em questão, porque a lição que aprendemos com as empresas que estão a lidar com a mudança de forma tão eficiente é que elas aproveitaram o espírito de iniciativa e se tornaram donas do seu próprio destino. Essas empresas compreenderam que o futuro é de mudança constante e adaptaram-se a essa realidade. É esta a diferença fundamental que observámos entre as melhores empresas e as restantes.

Notas de rodapé

1 Entrevista com Richard Ide, 6 de Janeiro de 1999

2 Entrevista com Sir Peter Davis, 13 de Janeiro de 1999

3 Institute of Personnel and Development Conference, Harrogate, Inglaterra, 29 de Outubro de 1998

4 *The Economist*, 13 de Fevereiro de 1999

5 Entrevista com o vice-marechal da Força Aérea, Tony Stables, 2 de Fevereiro de 1999

6 *Harvard Business Review*, Março-Abril de 1999

7 Kate Owen em Brathy Conference Report, Maio de 1998

8 Entrevista com Sir Geoffrey Holland, 7 de Janeiro de 1999

9 Entrevista com Ken Keir, 7 de Outubro de 1999

10 Entrevista com Richard Benson e Ekow Eshun, 26 de Janeiro de 1999

11 *Harvard Business Review*, Janeiro-Fevereiro de 1999

12 Ibid.

13 *Management Today*, Novembro de 1996

14 *The Economist*, 8 de Novembro de 1997

15 Entrevista com Sir Stuart Hampson, 25 de Junho de 1998

16 Richard Ide, op. cit.

17 Ibid.

18 *Harvard Business Review*, Janeiro-Fevereiro de 1999

19 *Fortune Magazine*, 23 de Junho de 1997

20 Ken Keir, op. cit.

Capítulo V
ENTRADA

Neste capítulo vai:

→ ficar a saber mais sobre o impacto da mudança nos indivíduos e como reagem

→ descobrir mais sobre o que estimula as pessoas, a nível individual e de grupo

→ aprender a desenvolver o desempenho humano através da criação de uma cultura que apoie os colaboradores física e mentalmente

→ tornar-se mais consciente das formas de lidar com a resistência à mudança e conquistar o compromisso para novas maneiras de fazer as coisas

Capítulo V

O factor humano

O real impacto da mudança ao nível humano

Ninguém duvida que as nossas organizações passaram por uma forte transição nos anos mais recentes. A maior parte passou por um *downsizing* para se tornar mais rentável e adoptou um nível de informação tecnológica nunca antes sonhado. Além disso, parecem ter-se tornado menos entusiastas na forma como lidam com os colaboradores. A ideia de negócio familiar como um trabalho para a vida agora parece ser uma coisa do passado. No entanto, ao mesmo tempo que este processo teve lugar, assistimos a um aumento da importância da função dos Recursos Humanos, da avaliação de pessoal, do desenvolvimento e formação e ao aparecimento de vários livros que parecem sugerir que o enfoque das organizações está a mudar dos chamados assuntos sérios para os ligeiros – passando da fase de simplesmente gerar lucros para a de se preocupar com as pessoas.

Lemos constantemente que as organizações estão a dar mais valor às competências e conhecimentos dos seus colaboradores e ao seu capital intelectual do que aos activos tangíveis. No entanto, muitos indivíduos não sentem que são valorizados pelas suas organizações. Talvez os mais afectados sejam os sobreviventes do programa de *downsizing* e de reestruturação. Trata-se da 'Síndroma do Sobrevivente', que mencionámos no início do livro. Enquanto há problemas óbvios para os indivíduos que são dispensados pela organização, o efeito nos sobreviventes, cuja confiança foi traída, é muitas vezes profundo. Os indivíduos geralmente sentem que têm de trabalhar muito mais apenas para evitar perder as suas posições na organização. Não admira que o stress no local de trabalho esteja a aumentar, em especial nas organizações que tradicionalmente eram 'paraísos seguros' com perspectivas de carreira seguras.

O sector público, por exemplo, em regra atrai indivíduos que estão preparados a sacrificar o rendimento a curto prazo em prol da qualidade de vida, uma hipótese de contribuir para a sociedade e segurança laboral. No entanto, nos últimos tempos, temos visto muitas organizações do sector público diminuírem a sua força de trabalho e nem toda esta redução em termos de cabeças é feita através de um processo natural de reformas, mudança de trabalho ou por outras quaisquer razões normais pelas quais as pessoas deixam as organizações. Para grande parte das pessoas, parece que a palavra 'mudança' é sinónima da palavra 'ameaça'. E este é o principal desafio para um líder. Como garantir que os colaboradores encarem a mudança como uma oportunidade e um desafio em vez de um problema ou uma ameaça? Para explorar esta questão temos de saber como as pessoas vêem a 'mudança'. Também precisamos de compreender o que as estimula.

Compreender o que estimula

A liderança da mudança bem sucedida ocorre ao nível individual. Qualquer líder empenhado na ideia de criar uma mudança eficaz precisa de compreender como as pessoas vêem o mundo e que lugar pensam ocupar nele e, em particular, como se vêem no cenário da organização.

Ao longo dos anos, fizeram-se muitas tentativas de criar um modelo eficaz do ser humano que fornecesse uma melhor compreensão da natureza da motivação. Uma das abordagens mais úteis foi a que emergiu do campo da Programação Neurolinguística. Robert Dilts foi o criador da ideia desta maneira de pensar sobre o ser humano. Dois ingleses, John Seymur[1] e John Potter, um dos autores deste livro, acrescentaram depois alguns pensamentos adicionais às ideias originais. O modelo é exibido na Figura 5.1 e é baseado na ideia de que no centro de cada indivíduo está o seu sentido de identidade e, em alguns casos, uma ligação a um nível espiritual ou a algum outro sentido mais elevado. A identidade raramente é uma questão absoluta em termos de factos. É mais uma percepção. Por exemplo, a maioria dos terroristas nunca se vão auto-denominar assim. Em vez disso, quase de certeza que preferem auto-intitularem-se de 'defensores da liberdade' ou 'soldados'.

Portanto, o que é que faz a diferença? Terá de ser a área das crenças. Um falsificador profissional pode ver-se a si mesmo como um homem de negócios, enquanto as autoridades e a lei o vêem como criminoso. O que difere são as crenças, que são diferentes. Em estreita relação com as crenças estão os valores – o que é importante para um indivíduo no seu dia-a-dia. Podemos representar esta ideia num diagrama (ver Figura 5.1). Em torno do nível da identidade, de como o indivíduo se vê a si próprio, está um conjunto de crenças e de valores. É difícil dizer se as crenças ou os valores são a área mais próxima da identidade, por isso vamos colocá-los no mesmo nível lógico. As duas áreas centrais do modelo – a identidade e os níveis das crenças/valores – combinam-se para formar a opinião duradoura que os indivíduos têm de si próprios. É como se este auto-conceito fosse o motor da pessoa, da mesma forma como um veículo tem uma fonte de energia.

Carl Rogers[2], um psicoterapeuta conceituado, explorou a ideia de auto-conceito com alguma profundidade, sob o ponto de vista da ajuda aos indivíduos que procedem a mudanças pessoais nas suas vidas. Ele utilizou termos como 'eu ideal' e 'eu de como me lembro' para diferenciar a forma como uma pessoa gostaria de se ver a si própria e a forma como pensa que agiu no passado. Esta é também uma área litigiosa no que diz respeito à forma como podemos definir o 'eu' em detalhes específicos, e o que faz é reforçar a importância das crenças e da percepção quando estamos a tentar fazer mudanças nas nossas organizações.

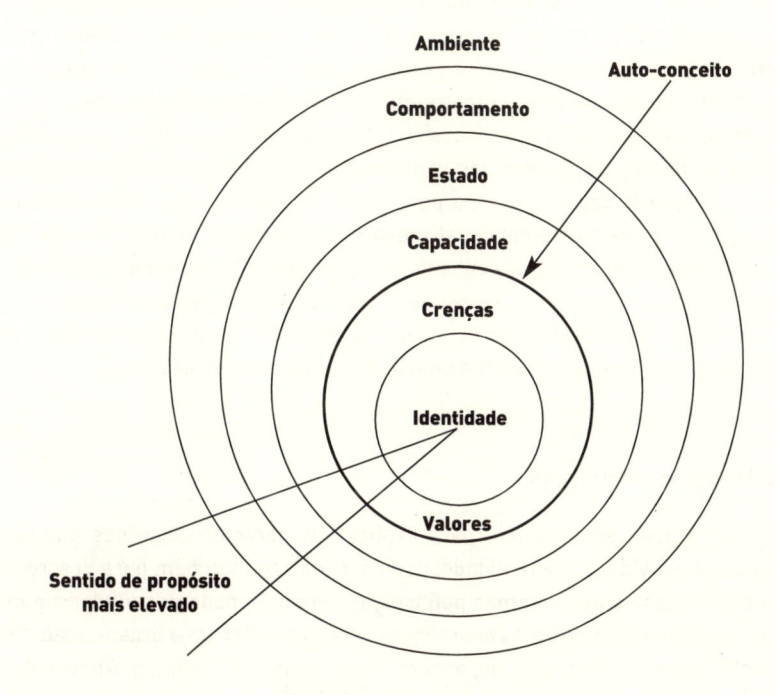

Figura 5.1 Um modelo do ser humano

Se regressarmos à analogia do motor, podemos desenvolver este modelo com mais pormenor. Nenhum motor tem utilidade a não ser que esteja instalado nalgum tipo de veículo ou ligado a algum tipo de sistema de forma a poder accionar a sua energia. Os motores precisam de capacidade para que possamos compreender o poder potencial que pode gerar.

Nenhum ser humano pode fazer muito em termos de contribuição para a sociedade, a não ser que tenha recursos ao seu dispor, incluindo o seu próprio conhecimento. Em termos humanos, a capacidade é criada a partir de uma série de fontes: conhecimento, dinheiro ou orçamentos, contactos pessoais, apoio tecnológico e por aí adiante. No entanto, ter simplesmente uma identidade forte, crenças positivas, valores bem definidos e capacidade potencial não é suficiente para criar um comportamento excelente. É o nosso estado, tanto mental como físico, que determina se podemos aceder às nossas capacidades potenciais. A analogia do veículo e do motor é útil aqui para explicar a importância do estado.

Se estivermos a conduzir um automóvel com uma caixa de mudanças manual, temos de nos certificar de que estamos na mudança correcta para transferir a potência do motor para as rodas. Um carro com um motor de três litros parará se tentarmos subir uma encosta com a quinta mudança, apesar de termos um grande motor e um enorme desempenho potencial. No entanto, um carro pequeno, com um motor de um litro, terá um bom desempenho se arrancarmos em primeira numa estrada inclinada. Não é tanto o tamanho do motor que interessa, mas a forma como utilizamos a potência do motor à nossa disposição. Em resumo, é o estado no qual nos encontramos a operar que é uma das verdadeiras determinantes do desempenho excelente. O mesmo se passa com uma pessoa: se não estiver num estado positivo, não será capaz de extrair esse potencial mesmo que tenha um 'motor' potente, de elevada capacidade, por exemplo, conhecimento, recursos financeiros e energia. É neste ponto que o stress se torna relevante. Uma equipa de pessoas stressadas ou onde está presente um elevado grau de 'gestão pelo medo', simplesmente não estará em posição de acrescentar valor máximo ao trabalho da organização.

Indivíduos e equipas

Este modelo pode ser utilizado para explicar as características das equipas, assim como dos indivíduos. Na realidade, pode ser utilizado também para descrever toda uma organização e até sistemas políticos. No entanto, podemos mudar alguns dos termos quando utilizamos esta abordagem para descrever uma organização. Em vez de falar do estado da organização, achamos que é mais útil referirmo-nos à ideia de 'cultura' ou 'clima' – a forma como as coisas tendem a acontecer na organização e a 'atmosfera' da organização ou 'sensação' que se tem dela. Apesar de estes não serem termos muito científicos, existe um certo grau de consenso em relação ao que significam, e realmente parecem ajudar a explicar por que é que algumas organizações são bons locais para se estar e outras organizações são muito pouco saudáveis do ponto de vista humano. Os líderes criam uma cultura e, por isso, desempenham um papel vital em garantir que a organização tenha a capacidade para extrair o potencial da sua força de trabalho. E todas as forças de trabalho têm imensas reservas de potencial por explorar.

Falemos do nível de comportamento dos indivíduos. Se utilizarmos o modelo para descrever o desempenho da equipa ou da empresa, então convém utilizar eficácia operacional ou qualidade do comportamento para descrever o impacto no mundo exterior ou no ambiente ou, de facto, no mercado.

O estado em que uma pessoa se encontra, ou a cultura da equipa ou organização, determina como se comporta. E é este comportamento que tem impacto no ambiente. Muitas vezes centramo-nos no comportamento porque é o aspecto do desempenho humano que mais facilmente podemos avaliar. Isto causou alguns problemas na avaliação do impacto da formação porque, muitas vezes, a formação procura mudar o comportamento sem lidar com as crenças que sustentam esse comportamento. Um exemplo clássico deste desafio é a formação ao nível do atendimento ao cliente. É possível consagrar recursos substanciais num programa de formação de atendimento ao cliente em que se tenta mudar o comportamento das pessoas que trabalham junto dos clientes e melhorar a forma como lidam com eles.

O problema é que se as crenças em relação ao cliente não estiverem sintonizadas com o novo comportamento, então, sob pressão, o indivíduo vai voltar aos comportamentos que sustentam as suas verdadeiras crenças. Por exemplo, apesar de um empregado sorrir a um cliente, utilizar o seu nome correctamente e desejar-lhe 'um bom dia', se, no fundo, achar que os clientes são um aborrecimento, quando surgir um problema essa crença virá ao de cima. Todos os novos comportamentos desaparecerão e o empregado provavelmente vai envolver-se numa discussão ou numa outra qualquer transacção improdutiva com o cliente. As crenças estão sempre subjacentes aos comportamentos que surgem naturalmente. Num programa de mudança, não vale a pena tentar mudar comportamentos, a não ser que trabalhemos no sentido de mudar as crenças subjacentes.

Por último, o nosso comportamento tem impacto no ambiente que, por seu turno, também tende a moldar o comportamento. Num ambiente ruidoso temos a tendência de falar mais alto – numa igreja tranquila temos tendência a falar em voz baixa. A importância do ambiente não deve ser ignorada se quisermos criar um programa de mudança verdadeiramente alinhado.

Se regressarmos ao centro do diagrama na Figura 5.1, um último ponto diz respeito ao facto de os indivíduos frequentemente se sentirem parte de algo maior do que eles próprios – muitas vezes prevalece um sentido de propósito mais elevado. Isto pode ser observado na adesão a clubes e sociedades ou na identificação com algumas causas. Compreender que a maior parte das pessoas realmente quer sentir que faz parte de algo é um aspecto importante de uma liderança empresarial bem sucedida. No entanto, trata-se de algo muitas vezes negligenciado. As pessoas trabalham por uma série de razões diferentes, não apenas por uma recompensa financeira, e a sensação de que se faz parte de algo com valor, que é maior do que nós próprios, pode ser em si mesmo uma poderosa fonte de motivação.

O mais importante neste diagrama talvez seja o facto de as mudanças que ocorrem no centro tenderem a propagar-se para o exterior, ou seja, tenderem a afectar os anéis exteriores do diagrama. Uma mudança de crenças, por exemplo, vai invariavelmente mudar o estado de uma pessoa e provocar comportamentos diferentes. No entanto, as mudanças ao nível dos anéis exteriores não produzem, necessariamente, mudanças no centro do diagrama. Por exemplo, mudanças no comportamento ou ao nível ambiental podem ou não afectar as crenças ou o sentido de identidade.

Fazer mudanças no centro

O ponto de aprendizagem para o líder que contempla as mudanças consiste, é claro, em compreender que a chave para influenciar os indivíduos é operar ao nível da identidade, crenças e valores, em vez de apenas tentar mudar comportamentos ou criar um ambiente diferente. Na realidade, a verdadeira mudança eficaz surge quando todos estes níveis estão alinhados, o que significa que, em termos organizacionais, o líder tem de prestar atenção ao ambiente, comportamento, cultura, capacidade, crenças, valores e identidade, tudo ao mesmo tempo. Uma tarefa e tanto!

Os líderes de topo das organizações estão numa posição muito poderosa para influenciar comportamentos através da influência nas crenças dos indivíduos. Poucos líderes das nossas organizações comerciais parecem ter consciência deste facto. Tentam influenciar os níveis de desempenho através de recompensas externas e ambientais – 'factores higiénicos', na terminologia de Herzberg – sem perceberem que aquilo que determina o comportamento e a qualidade do desempenho são as crenças que as pessoas têm da organização e o grau de convicção de que a sua contribuição é valorizada.

MUDAR AS CRENÇAS – UM *CASE STUDY*

A Watts Blake & Co. PLC é a maior produtora mundial de *ball clay* (tipo de argila raro usado para cerâmica de alta qualidade), sedeada no Sudoeste de Inglaterra, em Newton Abbot, uma pequena cidade mercantil. Tem uma série de escritórios e operações a nível mundial em locais como o Reino Unido, a Holanda, Portugal, Espanha, França, Hong-Kong, Alemanha, Singapura, Indonésia, Tailândia, Ucrânia, Itália, China e EUA. Todos os anos, a empresa conduz um programa externo de Desenvolvimento de Liderança Internacional, criado para desenvolver as competências de liderança de jovens gestores nos vários níveis da organização, no âmbito do seu processo de planeamento de sucessão. O presidente, Graham Lawson, juntamente com muitos outros membros da Direcção e da Equipa de Gestão sénior dentro da empresa, visitou o programa por diversas vezes para mostrar o seu empenho e interesse em desenvolver os seus gestores mais jovens. Como parte desse programa, Graham Lawson dá uma palestra que intitula 'As Regras do Nunca de Lawson' (ver Quadro 5.1), com o objectivo de levar os membros do curso a pensar em algumas questões básicas da liderança, em especial o exemplo que estão a dar às suas equipas de trabalho.

A Watts Blake & Co. PLC compreendeu a influência do líder no processo de moldar tanto a cultura organizacional como as crenças dos indivíduos. Ficámos tão impressionados com a atitude da empresa em relação aos seus colaboradores e à questão do planeamento da sucessão para os seus líderes do amanhã que a apresentámos como um mini *case study*. Há uma série de questões significativas que nos vêm ao espírito em relação a esta empresa. Em primeiro lugar, as equipas de gestão de topo estão preparadas para despender tempo a investir no desenvolvimento dos membros da organização acabados de chegar e recentemente promovidos, tanto em termos financeiros como ao nível do seu próprio tempo pessoal. O contacto com os níveis de gestão sénior durante o programa do curso que descrevemos acontece durante sessões nocturnas que muitas vezes se arrastam até de madrugada. Durante estas sessões, as discussões são muito informais e acaba por se gerar uma forte integração na empresa. Os participantes no curso tomam consciência dos valores subjacentes e das crenças da sua equipa gestora de topo e começam a compreender que a vida no topo da organização nem sempre é tão fácil como parece à primeira vista.

QUADRO 5.1 AS REGRAS DO NUNCA DE LAWSON

'A TAREFA DO LÍDER É CONSEGUIR LEVAR OS MEMBROS DA SUA EQUIPA DE ONDE ESTÃO PARA ONDE NUNCA ESTIVERAM'. Henry Kissinger

Na liderança e na vida lembre-se sempre destas regras:

NUNCA

→ Diga que algo não pode ser feito (*Missões Impossíveis são muito raras!*)
→ Subestime o poder do trabalho de equipa (*pessoas vulgares conseguem alcançar coisas extraordinárias*)
→ Aceite nada menos do que a excelência, especialmente de si próprio
→ Fique satisfeito por mais do que um instante
→ Fique satisfeito consigo mesmo (*nunca se sabe tudo!*)
→ Se afaste das decisões difíceis (*as coisas apenas pioram*)
→ Subestime a concorrência (*eles também são pessoas inteligentes!*)
→ Deixe de ouvir, questionar e inovar (*há sempre uma maneira melhor*)
→ Tenha medo de correr riscos (*com excepção da saúde e questões de segurança*)

→ Desperdice uma oportunidade para dar uma contribuição (*'não achei que este fosse o meu trabalho'*)

→ Subestime os clientes (*o seu salário depende deles*)

→ Surpreenda o seu chefe (*positivamente está bem, mas negativamente nunca!*)

→ Deixe de aprender com os seus erros (*todas as pessoas inteligentes cometem erros, estúpido é cometer o mesmo erro duas vezes*)

→ Deixe de dar crédito àqueles que o merecem (*deixe outra pessoa receber os louros também*)

→ Se esqueça de dizer 'muito obrigado' por um trabalho bem feito (*estas duas palavras são as menos utilizadas em qualquer língua*)

e **SEMPRE**

→ Diga a verdade, independentemente de quão difícil possa ser

→ Cumpra as suas promessas!

'SE NÃO ESTÁ NUM NEGÓCIO POR PRAZER OU LUCRO, ENTÃO O QUE É QUE ESTÁ A FAZER?'
Robert Towsend

Graham Lawson, o presidente, é altamente qualificado, tanto em termos académicos como científicos, mas, ao mesmo tempo, tem alguma sensibilidade no que respeita às competências interpessoais e das pessoas. E é esta combinação apropriada, simultaneamente de função e de relacionamento no comportamento do líder, que acontece vezes sem conta quando presenciamos a liderança eficaz da mudança. As pessoas vão estar à altura do desafio da mudança quando forem consultadas e se se sentirem valorizadas. Elas não gostam de ser mudadas por uma directiva, por uma gestão que não se preocupa e que está apenas interessada nos números finais em termos financeiros.

Um dos aspectos mais visíveis da mudança a nível individual é a ideia da zona de conforto. Os seres humanos parecem estar predispostos a trabalhar para aquilo que

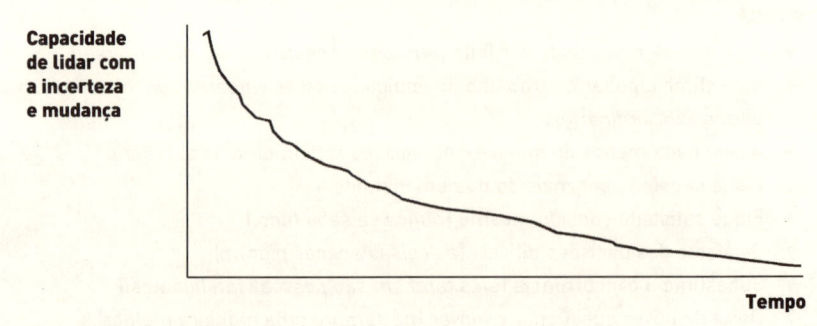

Figura 5.2 A curva descendente da capacidade de mudança

pode ser chamado de 'entropia negativa' (isto é, todos nós gostamos de trabalhar para a ordem e previsibilidade). A maior parte das pessoas parece concordar que a necessidade de estrutura e ordem tende a aumentar à medida que um indivíduo evoluiu na vida. Se pudéssemos traçar um gráfico da capacidade de lidar com mudança de, digamos, cerca de mil pessoas ao longo das suas vidas, provavelmente veríamos uma linha de tendência como a exibida na Figura 5.2.

O problema é, claramente, aquele que já mencionámos: o nível da mudança que observamos no mundo à nossa volta parece estar a desenvolver-se a um ritmo cada

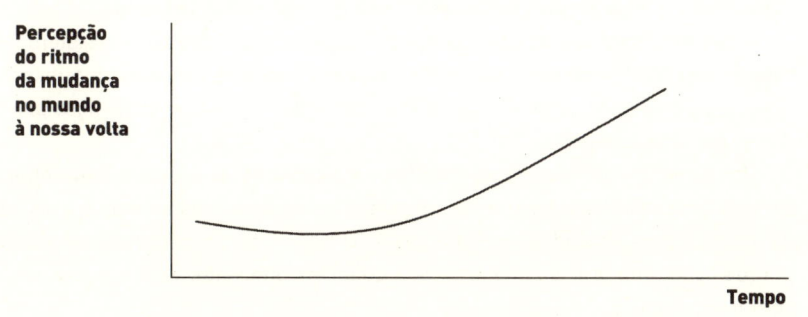

Figura 5.3 O ritmo acelerado da taxa da mudança

vez mais acelerado. Poderíamos representar este aumento num outro gráfico como o da Figura 5.3.

Quando colocamos estes dois gráficos lado a lado, podemos ver o problema (Figura 5.4).

Obviamente existe uma situação difícil que é posta em evidência por estes diagramas. Durante a parte inicial da vida de um indivíduo, a sua capacidade de lidar com a incerteza e mudança muitas vezes parece exceder a incerteza e mudança à qual se sente exposto. Os jovens são geralmente incansáveis e, na realidade, procuram estímulos (por exemplo, muitas vezes através de actividades que implicam cor-

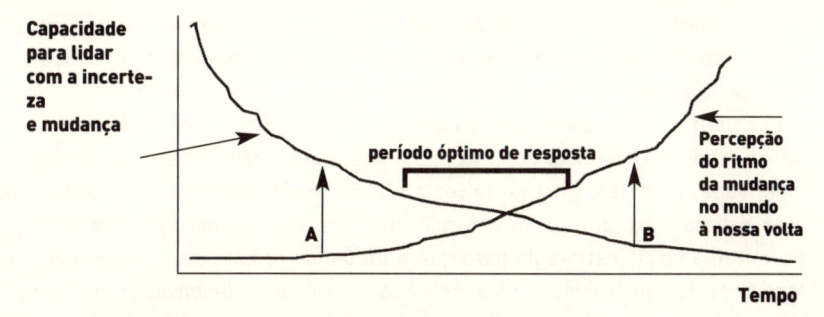

Figura 5.4 O paradoxo da mudança

rer riscos, consumir drogas, etc). À medida que o indivíduo amadurece, parece haver um momento ou período durante o qual a sua capacidade de lidar com a mudança externa, estímulo e incerteza é compatível com o seu ambiente. Isto, normalmente, coincide com o pico da carreira de uma pessoa ou com o sucesso na vida pessoal. Por fim, para grande parte das pessoas, chega um momento no qual o grau de percepção da mudança e incerteza excede a sua capacidade de lidar com isso. Isto pode levar ao stress, falta de auto-confiança e resistência à mudança como formas de lidar com a situação. O que o líder tem de compreender, nesta fase, é que quanto mais se pressiona o indivíduo que resiste, mais difícil é que ele corresponda.

O que precisamos é de uma forma de lidar com indivíduos que resistem para que respondam positivamente à mudança. Queremos que se empenhem num constante processo de aperfeiçoamento partindo do princípio de que as mudanças são benéficas e não uma ameaça.

Um aspecto interessante da mudança é o facto de as pessoas realmente passarem por fases distintas no que diz respeito à forma como respondem a uma situação. Já introduzimos esta ideia no Capítulo IV. O líder tem de compreender estas fases, porque cada uma precisa de ser gerida de forma diferente. Vamos agora analisá-las com mais detalhe.

Inicialmente, um indivíduo não estará consciente da mudança iminente, a não ser que a tenha pessoalmente despoletado. Isto significa que a altura do primeiro anúncio de qualquer grande mudança é crítica. O problema habitual é que normalmente há fugas de informação e surgem os rumores da mudança que dão lugar a especulações, ideias erradas, percepções incorrectas e por aí adiante. A gestão da fase do anúncio é a chave para todo o processo de mudança.

Uma vez anunciada a mudança, a reacção da maior parte das pessoas é rejeitá--la, com a justificação de que não é necessária ou que não lhe encontram razão de ser. Desta forma, estão a externalizar a mudança e a recusar-se a acreditar que as afecta. Portanto, qunado estamos a lidar com a mudança, estamos imediatamente a confrontar-nos com a questão das crenças que, tal como vimos na Figura 5.1, tende a estar no centro do indivíduo.

Invariavelmente, uma grande mudança organizacional vai ter um impacto na identidade das pessoas. Como se vêem a si próprias a lidar com a mudança? Vai desvalorizar a forma como se vêem a si próprias? A mudança colide com os seus valores? Podemos ver que a mudança afecta fundamentalmente o indivíduo e que a chave para o ajudar a responder positivamente passa pelo modo de agir do líder ao nível da identidade, crenças e valores. Talvez a solução mais importante a explorar seja a da auto-estima – até que ponto um indivíduo tem uma imagem positiva de si próprio. Portanto, a nossa estratégia para que a mudança resulte ao nível individual tem de ter em conta a necessidade de o indivíduo crescer e se desenvolver, de forma a sentir-se confiante para lidar com a nova situação.

Um caso real de medo das tecnologias

Estas fases estiveram recentemente em foco a propósito de um dos nossos clientes, um presidente executivo (CEO) que foi confrontado com a necessidade de se tornar literado em computadores de forma a poder trabalhar com os outros gestores num sistema de rede informatizada. O CEO tinha 53 anos de idade e durante vários anos tinha inflexivelmente recusado ter um computador pessoal na sua secretária do escritório. O seu argumento era que precisava de se manter divorciado dos pormenores do negócio de forma a manter o seu ponto de vista estratégico para dirigir a operação da empresa. A realidade, claro, era que ele estava a sofrer de um 'medo tecnológico' e não queria expor a sua falta de conhecimentos aos colegas. Na verdade, ele estava naquilo a que chamamos, na primeira fase da percepção da mudança, a fase da negação. Quando os indivíduos estão na fase da negação, recusam aceitar que a mudança é adequada e produzem um vasto leque de argumentos explicando por que é que a mudança não os afecta e por que é que não têm de agir. É, em grande medida, um ponto de vista orientado para o exterior, em que a pessoa sente que pode afastar de si aquilo que estima ser a mudança, de forma a não se envolver.

O que invariavelmente acontece é que a mudança não desaparece e o indivíduo começa a perceber que aquilo 'é a sério'. Quando isto acontece, os indivíduos tendem a interiorizar aquilo que estimam ser a mudança e começam a sentir que realmente os afecta, mas, normalmente, de uma forma negativa. Nesta fase, entraram naquilo a que podemos chamar uma 'fase de resistência passiva', na qual não se opõem verdadeiramente à mudança, simplesmente não facilitam o avanço da situação. No final, como a mudança não desaparece, tendem a evoluir para a 'fase de resistência activa' e é aqui que podem realmente sabotar as tentativas de as coisas avançarem.

Esta fase de resistência activa evidenciou-se de forma muito clara com o CEO acima mencionado. Um novo Gestor de Tecnologia de Informação (TI) foi nomeado para a empresa e, durante o seu primeiro mês, o presidente executivo esteve fora do escritório, numa visita ao estrangeiro. Desconhecendo a resistência do CEO aos computadores, o novo gestor de TI procedeu à instalação de um computador pessoal na secretária do presidente executivo durante a sua ausência. Tal como era de esperar, quando regressou, o CEO não ficou satisfeito. Apesar de ter feito um esforço simbólico para usar o equipamento, conseguiu causar pequenos estragos, tornando o sistema inútil. Não o fez deliberadamente, mas foi quase uma resposta inconsciente, que é, muitas vezes, a forma como a fase da resistência activa se evidencia.

Estas fases da resistência são a causa da maioria dos problemas com que nos deparamos no processo de fazer a mudança funcionar ao nível individual. O desafio consiste em descobrir como remover a resistência, para depois assegurar que a pessoa entra na terceira fase, a que chamamos a fase exploratória. Com o nosso CEO, o desafio era quebrar a associação negativa que tinha com o computador. Isto foi conseguido ao observar-se que ele era um apaixonado pelo golfe e que existem jogos de computador de golfe disponíveis. Em vez de o forçar a utilizar o computador imediatamente para trabalhar, o gestor de TI concentrou-se em ensinar-lhe a utilizar o equipamento para jogar o jogo de golfe. Ao fazê-lo, iniciou o processo de construção de uma associação positiva com o computador: o equipamento representava uma experiência agradável em vez de ameaçadora.

À medida que o presidente executivo foi desenvolvendo a sua confiança, começou a experimentar o processador de texto Word. Dentro de meia dúzia de semanas, estava a redigir pequenas mensagens e a começar a aceder ao material do sistema de informação de gestão do computador. Em seis meses tornou-se num grande entendido em computadores e exibia o seu empenho no sistema informatizado ao garantir que todos na empresa recebiam formação sobre como trabalhar com os computadores, actualizando assim a empresa em termos tecnológicos. Ao fazê-lo, passou da fase experimental para a fase de compromisso, na qual, uma vez mais, externalizou a mudança ao exprimir o seu empenho publicamente e garantir que outros, na empresa, também estavam empenhados.

A fase final de adaptação à mudança, a seguir à fase de compromisso, é aquela a que podemos chamar a fase da 'transmissão'. Esta é a fase na qual o indivíduo se torna de tal forma empenhado na mudança que trabalha arduamente para converter outros a adoptar as novas ideias. Aqui foi onde o nosso CEO, finalmente, acabou por garantir que toda a gente na empresa se tornasse entendida em computadores.

As sete fases da resposta humana à mudança

Podemos identificar sete fases a nível individual:
→ **Externa – sem consciência:** 'abençoada ignorância'
→ **Externa – a fase da negação:** 'Não me afecta a mim...'
→ **Interna/externa – a fase passiva de resistência:** 'Vou ignorar, não faço nada em relação a isto e pode ser que desapareça'
→ **Interna – a fase activa de resistência:** 'Como me posso opôr a esta ameaça...'
→ **Interna – a fase exploratória:** 'Vou tentar mas é arriscado...'
→ **Externa – a fase do compromisso:** 'Isto é óptimo, estou mesmo a gostar disto...'
→ **Externa – a fase da transmissão:** 'Deixe-me contar-lhe esta excelente ideia que adoptámos...'

A lição para o líder é que as pessoas têm mesmo de passar por estas fases. Já falámos da fase do anúncio de uma mudança ou programa de mudança. O momento e os canais de comunicação são de importância vital no que diz respeito ao momento de anunciar a mudança.

No que diz respeito à fase da negação, será talvez mais fácil lidar com ela fornecendo factos e informações, juntamente com exemplos do que outras organizações estão a fazer. A ideia é confrontar o indivíduo com um argumento sólido, de forma a que não possa simplesmente pôr de parte a ideia da mudança.

Em relação às fases de resistência, a comunicação eficaz, em particular saber ouvir, torna-se importante. O que queremos que o indivíduo faça é articular as suas objecções e exprimi-las, em vez de as varrer para debaixo do tapete. Em vez de empurrar as pessoas para a mudança, o que normalmente apenas tende a aumentar a resistência, é melhor identificar os factores que levam à direcção certa e aqueles que estão a reter o indivíduo. Vamos analisar esta ideia mais à frente neste capítulo, quando tivermos em conta a Análise do Campo de Forças. Ao identificar esses factores de resistência que estão a reter o indivíduo, e ao removê-los, passa a ser possível avançar para a fase exploratória.

O que é vital na fase exploratória é que a auto-confiança do indivíduo seja desenvolvida através de 'pequenas doses de sucesso'. A chave desta fase é estabelecer objectivos e alvos facilmente concretizáveis, para que seja desenvolvida uma associação cada vez mais positiva. Por fim, existirão suficientes blocos de pequenos sucessos, que vão combinar-se de forma a criar uma 'massa crítica' de associação positiva com a nossa ordem das coisas e é aqui que o compromisso normalmente se torna claro. Uma vez comprometido, o indivíduo pode e deve ser encorajado a transmitir esse compromisso e assim converter outros indivíduos que estão menos avançados nas suas posições na 'linha temporal das fases da mudança'.

Lidar com a mudança ao nível individual

Como podemos lidar com a mudança de forma mais eficaz ao nível do indivíduo? A primeira coisa é usar as ideias da linha temporal das fases da mudança apontadas em cima para dar tempo aos indivíduos de se ajustarem e se comprometerem com a nova situação.

A segunda ideia é utilizar a Análise do Campo de Forças, como já mencionámos. A Figura 5.5 mostra o conceito básico. O primeiro passo é descrever a situação presente ao nível das características, tanto desejáveis como indesejáveis. Em termos práticos, uma tradicional análise SWOT (*Strengths-Weaknesses-Opportunities-Threats*), utilizando forças, fraquezas, oportunidades e ameaças, é muitas vezes a forma mais útil de lidar com esta fase.

A segunda fase consiste em entregar-se a uma espécie de visualização *'blue-sky'* (idealizada e sem limites) para imaginar um quadro da posição futura que queremos atingir. Neste caso, as caracteríticas são normalmente menos concretas do que para a situação presente, mas dão uma noção de direcção.

A terceira fase é pesar todas as questões que nesse momento estão a empurrar a organização na direcção da desejada posição futura – chamamos a estas as 'forças motoras' – e todas as que nos estão a travar – a que chamamos as 'forças limitadoras'.

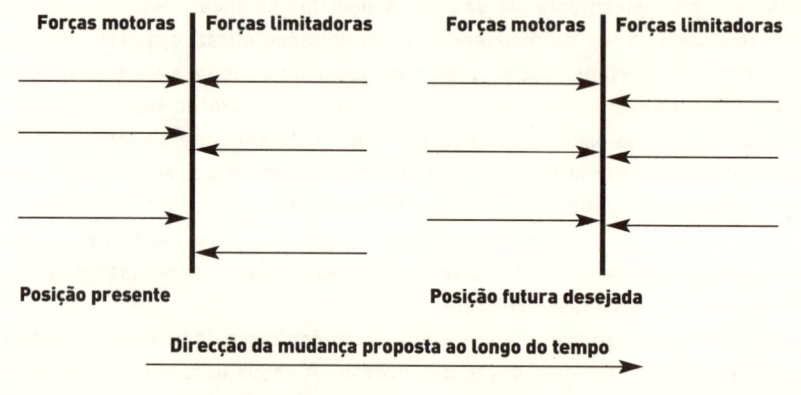

Figura 5.5 Análise do Campo de Forças

O que a maior parte das organizações parece fazer é concentrar-se em fazer pressão e aumentar as forças motoras. O problema com esta abordagem é que tende a criar resistência, tanto passiva como activa, o que por sua vez tende a aumentar as forças limitadoras. O resultado líquido é que a empresa fica num impasse e com todas as pessoas ainda mais pressionadas!

A chave, obviamente, é concentrar-se nas forças limitadoras para as tentar eliminar ou reduzir. Desta forma, a pressão natural das forças motoras tende a fazer as coisas avançarem na direcção certa. É nesta fase que as forças motoras podem ser aumentadas, promovendo um avanço mais rápido na direcção da nova posição desejada.

A posição acaba por criar um novo estádio de equilíbrio entre as forças limitadoras e motoras, mas desta vez na posição futura desejável, tal como pretendido. A Análise do Campo de Forças é uma técnica muito útil, particularmente quando compreendemos que muitas das forças limitadoras são de natureza humana, em vez de puramente físicas. A liderança eficaz da mudança invariavelmente implica ajudar as pessoas a mudar as suas crenças negativas, que geralmente são a fonte da maioria das forças limitadoras.

Técnicas como a Análise do Campo de Forças são úteis porque podem esboçar o problema de forma gráfica perante as partes interessadas. Desta forma, estas técnicas tornam-se parte integrante do processo de comunicação em geral. A comunicação é a chave para a liderança eficaz da mudança. É vital explicar o que está a acontecer e ter tempo suficiente para discutir o assunto.

Um outro aspecto importante da liderança eficaz da mudança é investir tempo e outros recursos na construção da equipa. Desenvolver o lado social pode ser uma forma muito importante de promover a aceitação da mudança, especialmente depois de as relações se tornarem mais profundas e de se começar a desenvolver um sentimento de confiança. Há dois aspectos importantes para o desenvolvimento da equipa neste contexto. Primeiro, a oportunidade de estabelecer objectivos eficazes, tanto individualmente como para a equipa no seu todo. Em segundo lugar, um conjunto de valores comum e que recolha unanimidade pode ser identificado e depois utilizado como base tanto para discussão como para as operações do dia-a-dia.

Mudança e stress

Independentemente de os indivíduos estarem a agir sozinhos ou como parte de uma equipa, uma questão importante é que a mudança pode causar stress, especialmente se o peso da mudança, num determinado momento, excede a capacidade de o indivíduo lidar com ela. Este não é um fenómeno novo. Nos anos 60, Holmes e Rahe, dois médicos norte-americanos, investigaram a ligação entre a mudança, tanto positiva como negativa, e o aparecimento de doenças graves em vários elementos do seu grupo de investigação. Conceberam a Escala de Reajustamento Social, que media o impacto negativo que acontecimentos específicos da vida tinham na saúde de um indivíduo. Uma versão modificada da escala é exibida no Quadro 5.2. É de salientar que há muitas diferenças culturais na forma como os indivíduos, em países diferentes, reagem aos acontecimentos da vida. Em países como os EUA, as pessoas tendem a ter maior mobilidade do que na Europa em geral, por isso os americanos podem muito bem ser menos afectados por uma mudança de casa do que, digamos, um alemão que tenha vivido na mesma cidade trinta anos ou mais.

A Escala de Reajustamento Social é, portanto, uma forma simples de comparar os impactos relativos típicos de vários acontecimentos da vida, de forma a que individualmente possamos fazer uma avaliação de até onde estamos a pedir a nós próprios que lidemos com demasiada ou insuficiente mudança. Também é importante, devido à curva de adaptação, para compreender que a idade de uma pessoa pode determinar até que ponto um dado acontecimento na vida é stressante ou não. Normalmente, uma pessoa com vinte e poucos anos não tem problemas em mudar de casa diversas vezes em poucos anos, enquanto uma pessoa com sessenta e muitos pode ver essa situação como muito ameaçadora. Por isso, há uma série de pontos específicos na versão da Escala de Reajustamento Social publicada que devem ser tidos em conta apenas como linha de orientação geral. Tomámos a liberdade de actualizar alguns dos números na escala e convertê-los na moeda britânica. No entanto, o princípio do questionário ainda é o mesmo do estudo original e encontrámos uma forma útil de iniciar as discussões sobre o papel desempenhado por mudanças mal lideradas na criação de stress excessivo no local de trabalho.

QUADRO 5.2 ESTUDO DOS ACONTECIMENTOS DA VIDA

(COM BASE NO TRABALHO DE HOLMES E RAHE)

Há muitos factores que tendem a predispor os indivíduos a tornarem-se stressados. Muito especialmente, o volume de mudança que teve lugar na vida de uma pessoa parece ser importante. Que mudanças é que houve na sua vida nos últimos dois anos?

ASSINALE OS ACONTECIMENTOS E NÚMERO DE OCORRÊNCIAS:

	Acontecimento na vida	Nº de ocorrências	Valor médio
1	Morte do cônjuge		100
2	Divórcio		73
3	Separação marital		65
4	Prisão		63
5	Morte de um membro próximo da família		63
6	Ferimentos pessoais ou doença		53
7	Casamento		50
8	Incêndio no local de trabalho		47
9	Reconciliação matrimonial		47
10	Reforma		45
11	Mudança do estado de saúde de um membro da família		45
12	Gravidez (o resultado aplica-se aos dois cônjuges)		44
13	Dificuldades sexuais		39
14	Entrada de um novo membro na família		39
15	Reajustamento do negócio		39
16	Mudanças no estado financeiro		38
17	Morte de um amigo próximo		37
18	Mudança para um novo ramo de trabalho		36
19	Mudança na sequência de discussões com o cônjuge		35
20	Hipoteca superior a 50 mil libras		31
21	Execução da hipoteca ou de um empréstimo		30
22	Mudança das responsabilidades no local de trabalho		29
23	Filho ou filha saiu de casa		29
24	Problemas com os sogros		29
25	Desempenho pessoal extraordinário		28
26	O cônjuge começar ou deixar de trabalhar		26
27	Começar ou deixar os estudos		26
28	Mudança nas condições de vida		25
29	Alteração dos hábitos pessoais		24
30	Problemas com o patrão		23
31	Mudança nas horas ou condições de trabalho		20
32	Mudança de residência		20
33	Mudança de escolas		20
34	Mudança de actividade recreativa		19
35	Mudança nas actividades da igreja		19
36	Mudança nas actividades sociais		18
37	Hipoteca ou empréstimo inferior a 50 mil libras		17
38	Alterações do sono		16
39	Mudança na quantidade de reuniões familiares		15
40	Mudança nos hábitos alimentares		15
41	Férias		13
42	Natal		12
43	Pequenas violações da lei 19		11

O seu resultado total é _____

Para completar a escala, escolha um qualquer acontecimento que lhe tenha acontecido nos últimos dois anos. Para alguns dos itens, como o número 13, será mais adequado ter em conta uma mudança no padrão do que todos os exemplos específicos! No entanto, acontecimentos como 'ser despedido' ou 'morte de um membro próximo da família' devem ser registados como eventos múltiplos se ocorreram mais de uma vez nos últimos dois anos. Para encontrar o seu resultado, leia as 43 afirmações, escolha as que se aplicam a si e registe o número de ocorrências. Para ocorrências múltiplas, multiplique o resultado pelo número de vezes que o acontecimento ocorreu. Depois some o resultado e preencha o espaço no final do questionário.

Resultados superiores a 300 tendem a sugerir que está a experimentar um volume excessivo de mudança, e isto pode levar a que seja confrontado com problemas relacionados com stress. Se assim for, então talvez valha a pena adiar algumas mudanças opcionais para dar tempo a si próprio para se adaptar. Simultaneamente, é aconselhável alguma atenção básica para a gestão de stress, como por exemplo, mais exercício, mais relaxamento e atenção à dieta alimentar.

Porém, não são apenas os resultados elevados que são significativos. Resultados inferiores a 150 podem significar que a pessoa está subestimulada e isto pode levar a um outro tipo de reacção de stress chamada 'enferrujamento', que pode ser tão stressante como o excesso de estímulo. Parece que todos precisamos de uma dose de mudança, mas não demais!

Para o líder, o que é importante é descobrir qual a dose de mudança que pode esperar que os seus colaboradores consigam aguentar diariamente. Por exemplo, os líderes devem planear a mudança como um programa rotativo, juntamente com a criação de algumas questões de recuperação do stress, como a promoção de actividades sociais fora do horário de trabalho, comida saudável, exercício e relaxamento. Financiar as inscrições para ginásios pode ser uma forma muito conveniente de ajudar as pessoas a manter a sua saúde e condição física durante os difíceis tempos de mudança.

É óbvio que a mudança pode ter um impacto significativo nos indivíduos e que indivíduos diferentes têm diferentes níveis de resistência em relação à mudança, que, por sua vez, estão relacionados com a forma como lidam com ela.

Uma questão-chave a colocar é 'como podemos aumentar a capacidade de resistência?' Um psicólogo norte-americano chamado Price Pritchett fez um estudo detalhado sobre o desenvolvimento da capacidade de resistência à mudança e produziu uma série de excelentes livros, alguns de autoria partilhada com o seu parceiro Ron Pound. Prichett e Pound identificaram uma série de formas que servem para encorajar os nossos colegas a aceitar que a mudança é um desafio que veio para ficar. Consolidámos e resumimos algumas das suas ideias-chave e combinámo-las com algumas das nossas no Quadro 5.3.

Elaborámos uma lista de 15 formas através das quais as pessoas podem ajudar-se a si próprias a lidar com o stress provocado pela mudança e a evitá-lo. Apresentamo-las como parte das formas específicas de que os líderes e gestores dispõem para poder ajudar os indivíduos que estão a tentar lidar com a mudança, dado que um aspecto importante da liderança da mudança consiste em ajudar as pessoas a familiarizarem-se com as novas formas de fazer as coisas, usando algumas ou todas estas estratégias.

QUADRO 5.3 O QUE É QUE AS PESSOAS REALMENTE PRECISAM DE FAZER EM RELAÇÃO À MUDANÇA?

1 Precisam assumir responsabilidade pessoal pelas suas próprias vidas em vez de esperar que alguém resolva por elas os seus problemas de stress.

2 É importante aceitar o destino, avançar e evitar permitir-se a si mesmo sentir e agir como uma vítima.

3 A pressão no local de trabalho veio para ficar. A melhor forma de lidar com isto é concentrar-se em alguns objectivos específicos.

4 Como a mudança veio para ficar, é importante adoptar a visão de futuro em vez de resistir à mudança.

5 É importante familiarizar-se com as novas regras do jogo. Como é que o jogo mudou?

6 É importante identificar quais os aspectos que pode controlar e quais os que estão fora do seu controlo.

7 Em termos do ritmo da mudança, é importante manter-se a par do que está a acontecer à sua volta, em vez de tentar estabelecer o seu próprio ritmo.

8 No futuro, é o valor acrescentado que vai determinar quem vai conservar o emprego e quem será dispensado. Concentrar-se em como poderá repensar o seu trabalho de forma a dar-lhe valor acrescentado é a chave para a sobrevivência nas organizações do futuro.

9 Tudo precisa de ser acelerado, incluindo a produtividade pessoal.

10 Em vez de temer o futuro, controle os seus pensamentos, pare de se preocupar e estabeleça alguns objectivos.

11 Escolha batalhas suficientemente grandes para valerem a pena, mas pequenas o suficiente para poderem ser ganhas, em vez de tentar travar batalhas erradas.

12 Apaixone-se pelo seu trabalho.

13 Mantenha as suas capacidades actualizadas e aceite novos desafios.

14 Desenvolva a sua tolerância à mudança e pare de tentar eliminar as incertezas.

15 Como empregado ou gestor, não presuma que a 'gestão bondosa' o deve fazer sentir-se confortável – faça o que funciona.

A liderança eficaz da mudança consiste, em grande medida, em trabalhar ao nível individual e, simultanemamente, garantir que estamos a trazer a nossa visão estratégica para a operação. É importante que a cultura da empresa aceite e prospere na mudança. Também precisamos de ter um poderoso apoio à mudança em termos de agentes de mudança internos, partes interessadas externas, gestores médios e subcontratados.

Tudo isto requer comunicação eficaz e tácticas de mudança. A chave, no entanto, é criar 'campeões de mudança' eficazes dentro da empresa. Uma investigação recente feita pela McKinsey diz que a verdadeira mudança é, na realidade, impulsionada pelo nível médio da organização, assim como pelo topo. A equipa da McKinsey – Jonh Katzenbach e os seus colegas – sugeriu características dos 'verdadeiros líderes da mudança'[3], ou seja, dos gestores no nível médio da organização que garantem que as novas iniciativas são bem sucedidas (ver Quadro 5.4).

QUADRO 5.4 AS CARACTERÍSTICAS DOS VERDADEIROS LÍDERES DA MUDANÇA

→ Compromisso para um melhor caminho
→ Coragem para desafiar as normas e bases de poder existentes
→ A iniciativa pessoal vai além das fronteiras definidas
→ Motivação deles próprios e dos outros
→ Preocupar-se com a forma como as pessoas são tratadas e são capazes de agir
→ Manter um perfil de pouco destaque e não procurar a glória
→ Manter o sentido de humor em relação a si próprio e às situações em que está envolvido

Sumário

Neste capítulo explorámos o impacto da mudança no indivíduo. Analisámos um modelo para explicar por que é que os indivíduos tendem a resistir à mudança e como podemos ajudar as pessoas a ultrapassar a adaptação às várias fases da mudança. Se levarmos a cabo este processo de forma eficaz, vamos evitar muitos dos problemas de stress associados à mudança e criar uma massa crítica de indivíduos que vão, por sua vez, contribuir para o avanço da organização, tanto a nível operacional como ao nível do contacto directo com os clientes, ao tornar a visão estratégica numa realidade.

Ao nível individual, a capacidade-chave do líder está em criar um clima onde a mudança é bem-vinda e não temida. Os seres humanos precisam do estímulo da mudança para crescerem e se desenvolverem. Invariavelmente, é na apresentação da estratégia para a mudança que os problemas ocorrem. Tal como Shakespeare disse uma vez, 'não há nada bom ou mau, mas pensar nisso faz com que haja'.

O verdadeiro teste à liderança eficaz da mudança está na forma como se 'vende' a mudança, na criação de um alinhamento emocional e na conquista de corações e mentes. Esse é o tema do nosso próximo capítulo.

Notas de rodapé

1   Joseph O'Connor e John Seymur (1990), *Introducing NLP*, Mandala
2   Carl Rogers (1967), *On Becoming a Person*, Constable
3   Jonh Katzenbach et al. (1996), *Real Change Leaders*, Nicholas Brealey

Capítulo VI
ENTRADA

Neste capítulo vai:

→ ficar a saber mais sobre a crise de liderança
que todos enfrentamos

→ descobrir a diferença entre resultados excelentes
e resultados médios na liderança da mudança

→ identificar a importância do comportamento
dos líderes de hoje na passagem das palavras
à acção

→ ser lembrado de que, para um líder conquistar
os 'corações e mentes' das pessoas, é
imprescindível que comunique os motivos para
a mudança de forma a originar compreensão

→ aperceber-se de que a incerteza é a principal
causa de ansiedade nos programas de mudança

→ perceber que os líderes organizacionais devem ter
como objectivo a eliminação de politiquices
da empresa através de uma comunicação aberta

→ redescobrir a importância da integridade
na liderança

→ aprender quais os principais atributos da liderança
eficaz da mudança na conquista de 'corações
e mentes'

Capítulo VI

Os 'corações e mentes' da liderança

'O mundo britânico dos negócios está a atravessar uma crise de liderança – fomos incapazes de fazer a distinção entre competências de gestão e qualidades de liderança'. Esta declaração surgiu no *Daily Telegraph* em Dezembro de 1998 e foi publicada no seguimento de um estudo[1] realizado nesse ano pelo Institute of Directors, que revelava que a Liderança e o Desenvolvimento Estratégico eram os dois aspectos mais importantes para um Conselho de Administração. Esse mesmo ano também gerou fortes baixas ao nível das chefias, incluindo Martin Taylor (Barclays Bank), Dick Brown (Cable & Wireless) e outros responsáveis da Rank, United Utilities, BAA e EMI. A experiência no Reino Unido começava também a reflectir-se um pouco por todo o mundo, particularmente nos sectores dos negócios e da banca no Japão.

No entanto, o maior fracasso em termos de liderança em 1998 e 1999 foi, de longe, a saga interminável da presidência de Bill Clinton. A constante análise à sua posição moral e credibilidade, devido ao caso Monica Lewinsky, paralisou virtualmente Washington durante todo aquele período, o que afectou a reputação dos EUA; o título de 'líder mundial' soava a falso. Curiosamente, esta paralisação contribuiu para a extraordinária ascensão do primeiro-ministro britânico, Tony Blair, no palco mundial, através do seu papel de liderança na guerra da NATO contra a Sérvia, em 1999.

Aparte isto, o preocupante número de 'fracassos' de liderança no final do século XX levanta algumas questões fundamentais acerca do relacionamento entre os que estão encarregues de liderar as suas organizações e os seus constituintes. Terá o último período do milénio sido particularmente difícil para os líderes no topo das organizações – ou tratou-se apenas da continuação dos problemas que sempre se colocaram a outros indivíduos em situações semelhantes ao longo da História? Por que é que pessoas com uma elevada reputação e contratadas com boa fé não conseguiram corresponder às expectativas? Existirá um desencontro entre a expectativa e o que é entregue? Existirá uma dificuldade inerente quando um 'novo' líder tenta mudar uma cultura 'antiga'? Será que as pressões sobre quem lidera num ambiente de contínua mudança se tornam demasiado fortes?

Estas questões, entre outras, serão abordadas neste capítulo, no contexto do relacionamento entre o 'líder' e a 'equipa'. Num ambiente de mudança constante, a chave para uma liderança eficaz traduz-se na capacidade para motivar e obter o melhor das pessoas. Isto não é nada de novo; conquistar corações e mentes sempre foi importante. No entanto, a velocidade da mudança que estamos a viver, os contínuos progressos tecnológicos e as cada vez maiores complexidades da vida conjugam-se e tornam este relacionamento particularmente difícil. As pessoas em posição de liderança estão a ter dificuldades com isto – mesmo aqueles que já têm experiência considerável. Precisamos descobrir o cerne do problema, para então abordarmos as questões relevantes, com vista a obter orientações práticas para os 'líderes de amanhã'. Recrutar directores executivos que acabam por fracassar, seja qual for a razão para isso, é um exercício dispendioso com sérias implicações, tanto para o indivíduo como para a organização. O objectivo deste capítulo é ajudar a um melhor entendimento deste tópico vital, de modo a que haja menos vítimas no futuro.

Viagem de descoberta

Durante a investigação levada a cabo para este livro, deparámo-nos com a existência de imensas pessoas nos lugares de topo das organizações, tanto nos sectores privado como público, que pareciam liderar as suas organizações num ambiente de mudança de forma particularmente bem sucedida. Apesar de alguns destes indivíduos serem bastante conhecidos, outros não o eram (se bem que as suas empresas o fossem). À primeira vista, isto pareceu-nos bastante estranho. Afinal de contas, durante a década de 80 e o início dos anos 90, as pessoas em geral estavam familiarizadas com nomes como John Harvey-Jones, Tiny Rowlands, Lord Hanson, Jack Welch e Lord Weinstock. E ainda assim, sempre que pedíamos a quem frequentava os nossos seminários que nos dissesse nomes de líderes de topo da altura, os únicos dois que eram consistentemente mencionados eram Richard Branson e Bill Gates.

Consequentemente, entrevistámos cerca de 25 líderes de topo numa tentativa de descobrir o que estavam a fazer de forma eficaz que motivasse os seus colaboradores a conquistarem realmente bons resultados. Durante esta viagem de descoberta, retivemos vários aspectos importantes. Em primeiro lugar, se bem que alguns desses líderes conseguissem resultados 'espectaculares', outros apenas conseguiam resultados 'muito bons'. Depressa se tornou evidente que isso era irrelevante, pois, num percurso de contínua mudança, não é possível gerir a produção de resultados excelentes a toda a hora.

Por definição, 'resultados excelentes' não são a norma. O ambiente está em constante alteração e as organizações vão-se ajustando de acordo com isso, pelo que a sua experiência de aprendizagem também tem de se ajustar. Basta observar o exemplo da Marks & Spencer – quando, sob a liderança do recém-chegado Peter Salisbury, em 1999, lutava para recuperar o terreno perdido – para nos apercebermos como pode subitamente uma empresa cujo nome esteve associado à excelência durante tanto tempo encontrar-se em dificuldades, sem qualquer aviso prévio.

Em segundo lugar, houve alguns tipos de comportamentos que estes indivíduos adoptaram que lhes trouxeram uma estabilidade suficiente para os sustentar nos bons e nos maus momentos. Estes irão ser agora analisados em detalhe e estão identificados através dos seguintes títulos: criar um clima de compreensão, comunicação eficaz, libertação de potencial, exemplo pessoal e ritmo próprio.

Criar compreensão

'Um dos aspectos mais difíceis da liderança é levar as pessoas a ponderarem a razão para a mudança'.[2] Este comentário, feito por John Roberts (director executivo da rede de correios britânica Post Office), sublinha o problema da criação de compreensão por toda uma organização envolvida num processo de mudança contínuo. Um dos aspectos realmente difíceis para os líderes é tornar a sua visão uma realidade. Sir Paul Condon (comissário do Metropolitan Police Service) diz: 'É a dificuldade da desconexão entre uma declaração política e a sua implementação'.[3]

A criação de compreensão não é apenas difícil para os seguidores – é também um teste para os líderes. Um ambiente de mudança contínua significa que os que operam ao nível da administração lutam muitas vezes com questões altamente complexas e dispondo de pouco tempo para analisar todos os factores relevantes. Assim, podemos ter uma situação em que a gestão sénior tem dificuldades em compreender os problemas que se colocam e, consequentemente, não está em posição de transmitir ideias claras ao resto da organização. Esta falta de clareza pode levar à frustração, por via da falta de comunicação entre os executivos de topo e o resto da organização. A chave para este problema reside num sistema de comunicação que permita uma constante actualização, *briefing* e *feedback*, de forma a que todos estejam conscientes da dimensão do problema, do que vai na cabeça da equipa sénior e de como esta forma de pensar se vai reflectir na área de responsabilidade de todos. Já observámos, no Capítulo IV, como é que o sistema de comunicações da Honda auxiliou este processo. 'Criar um clima de compreensão a todos os níveis é difícil, e foi por isso que desenvolvemos este sistema' (Ken Keir, director executivo, Honda Reino Unido).[4]

Criar compreensão tornou-se mais difícil por dois motivos: receio de incerteza e uma escassez de capacidade intelectual nas organizações.

O receio de incerteza é um instinto humano natural que de vez em quando nos afecta. Sejamos ou não o tipo de pessoa que fica ou não empolgada com a mudança, a maior parte de nós sente-se confortável num ambiente que compreende e em que é capaz de ter um desempenho eficaz. Tendemos também a ser mais felizes nessas circunstâncias. Mesmo aqueles que prosperam na mudança apreciam ocasionalmente um período de estabilidade. Não é pois de surpreender que a incerteza possa desestabilizar a maioria das pessoas, o que, por seu turno, afecta a sua alegria e a sua capacidade para ter um bom desempenho. A menos que o problema seja devidamente tratado, poderá espalhar-se como um cancro por toda a organização.

O papel dos líderes (a todos os níveis) consiste em enfrentar de forma sistemática a 'incerteza', adoptando uma política de comunicação aberta e usando todas as oportunidades que surjam para debater e explicar todos os aspectos relevantes do processo de mudança. Isto pode implicar uma grande dose de atenção em relação aos outros e prontidão para mudar as ideias originais depois de escutar outras opiniões. A forma mais eficaz de contrariar o medo da mudança é o 'sentimento de propriedade'. Este permite que todos sejam envolvidos no processo e sintam que têm um papel adequado para desempenhar no desenvolvimento de ideias e, em resultado isso, na progressão da empresa. Esta inicial remoção da incerteza, através do sentimento de propriedade, é o processo de liderança mais eficaz.

A segunda questão é um problema mais fundamental. Parece haver uma certa escassez de capacidade intelectual por parte de muitos líderes que têm funções destacadas de liderança nas nossas organizações. No seu habitual estilo resumido, Warren Bennis pôs o dedo na ferida quando disse: 'Numa sociedade de trabalhadores do conhecimento, precisaremos de líderes a todos os níveis que sejam extraordinariamente inteligentes'.[5] Bennis explicou esta ideia na entrevista que deu à *People Management*, sublinhando que, para lidar com questões complexas, é preciso repensar a forma de ensinar as pessoas para os negócios.

No entanto, acaba por ser muito mais do que isso – e as implicações são cruciais. Não é apenas o negócio que necessita de ser reavaliado, é toda uma realidade que afecta qualquer organização, tanto no sector público como privado, em todo o mundo desenvolvido. Os extraordinários avanços tecnológicos, condensados pela Internet, que nos dão – de longe – mais escolhas do que mesmo há dois anos atrás, expuseram um hiato que tem vindo a aumentar entre aqueles que têm capacidade intelectual para enfrentar com êxito estes emocionantes progressos e aqueles que não a têm.

A menos que reeduquemos as pessoas a todos os níveis das organizações e desenvolvamos as suas competências cognitivas, as empresas não terão capacidade para gerir os desafios do futuro. Com efeito, isso começa já a verificar-se, tendo como exemplo os novos bancos do Reino Unido, que reconheceram perante nós que, se não enfrentassem esta questão, não sabiam até que ponto conseguiriam enfrentar com êxito as complexidades do futuro que, por sua vez, poderiam afectar as suas capacidades para se manterem na qualidade de banco retalhista.

Há a percepção de que os sistemas educativos nacionais (britânicos) não se estão a ajustar de forma suficientemente rápida à natureza de mudança do ambiente de trabalho. Isto é particularmente evidente no Reino Unido, onde a expansão das universidades nos anos 90 ocultou este fracasso, e ao nível escolar secundário há um padrão educacional preocupantemente baixo. Warren Bennis tinha já chamado a atenção para um problema semelhante nos Estados Unidos e a situação reflecte-se, em maior ou menor medida, noutros países do mundo inteiro.

Embora a questão da educação esteja fora do âmbito deste livro, as implicações da mesma para a liderança e para 'criar compreensão' são contudo claras. A menos que consigamos aumentar substancialmente a capacidade intelectual das pessoas a todos os níveis das organizações, será extremamente difícil que os líderes concretizem uma mudança eficaz no futuro. As pessoas precisam de ter capacidade para *compreender* realmente os motivos da mudança.

Comunicação eficaz

Parte do processo de criação de um clima de compreensão prende-se com uma comunicação eficaz. Torna-se particularmente difícil quando se trata de gerir a mudança porque, como já vimos, os líderes estão muitas vezes a debater-se consigo mesmos para clarificarem a sua própria opinião, ao mesmo tempo que tentam transmitir uma mensagem clara a toda a organização. A menos que haja clareza de pensamento, há o perigo de os líderes passarem uma mensagem dúbia, o que poderá gerar a confusão.

Por conseguinte, precisamos de compreender o que é realmente pedido aos líderes para conseguirem estabelecer uma comunicação eficaz. O primeiro passo importante a dar é ter uma estratégia clara desde o princípio. Isto é especialmente significativo quando um indivíduo assume um novo cargo. John Roberts salientou na conversa que teve connosco: 'Foi importante para mim começar com uma ideia clara quando assumi o cargo de director executivo dos Correios. Analisando em retrospectiva, gostava que as minhas ideias tivessem sido ainda mais claras no início'.[6] O problema é que um indivíduo tem tanto para absorver quando está a assumir um novo trabalho, que acaba por ser difícil estar ciente das prioridades, já para não falar de estratégia. Como se isto não fosse suficiente, esses mesmos indivíduos serão também pressionados pelas suas equipas no sentido de transmitirem as suas ideias. Nestas circunstâncias, é bastante tentador tomar decisões e emitir normas demasiado cedo.

Ao deparar-se com esta situação quando assumiu um novo cargo como presidente executivo (CEO), resistiu a todos os apelos para comunicar as suas ideias durante o primeiro mês. Aproveitou antes esse período para conhecer a organização e ouvir as pessoas. Após ter concluído a sua apresentação – e então estava pronto –, comunicou os seus pensamentos a todas as pessoas através de uma série de *briefings* verbais.

Embora nem sempre seja possível adiar essa comunicação inicial durante tanto tempo, é crucial que a primeira mensagem de um novo líder tenha sido cuidadosamente pensada. É também importante que os meios de comunicação a que a organização recorre sejam utilizados adequadamente. Estes podem variar, dependendo da cultura da empresa; contudo, seguir o sistema 'normal' é particularmente relevante porque indica que o novo líder é sensível à cultura existente. Este é um ritual importante, pois revela a boa-vontade do líder para se adaptar, o que por sua vez irá incentivar os empregados a ouvirem-no de mente aberta. Além disso, também reforça a posição dos que actuam ao nível intermédio da gestão.

Assim que o caminho geral a seguir esteja claro, é essencial que a equipa de gestores seniores mantenha uma comunicação aberta com todos os indivíduos do grupo. É uma tarefa especialmente difícil em tempos de mudança, devido à complexidade, velocidade, volume de trabalho e vários outros factores associados. Requer um verdadeiro esforço no sentido de assegurar que todos estão a ser tidos em conta. Uma vez mais, e partindo do princípio que a prática corrente é eficaz, é aconselhável seguir os procedimentos normais. O mais importante é garantir que existe um sistema automático que assegura uma boa comunicação. Os exemplos de procedimentos eficazes incluem os utilizados pelos militares (plenamente testados em situações de guerra) e o sistema de gestão por 'círculos' adoptado pela Honda. É igualmente importante que o sistema aberto utilizado a um nível sénior se reflicta por toda a organização. A capacidade de cada indivíduo desafiar ideias e se informar sobre os detalhes é essencial para desenvolver um grau de confiança no crédito e integridade da organização (todos os directores executivos com quem falámos salientaram a importância deste aspecto).

O objectivo de uma tal abordagem sistemática à comunicação aberta é derrubar as barreiras do processo de mudança que serão erguidas por parte de alguns quadrantes. Estas barreiras só serão removidas com o entusiasmo enérgico dos líderes a todos os níveis. Esta pode ser uma tarefa bastante cansativa e exigirá uma boa dose de persistência, especialmente porque poderá envolver intrigas de gabinete – ou porque alguém tenta deturpar a mensagem ou, mais provavelmente, porque as intrigas são endémicas à empresa. Este é um cenário comum que pode testar a paciência da maioria dos líderes, partindo do princípio que não estejam envolvidos nas próprias intrigas! O comportamento do chefe, nestas circunstâncias, é crucial. Gail Rebuck (director executivo do Random House Group) esclareceu bem a sua posição: 'Sou alérgico a politiquices de empresa! Enfrento os conflitos de cabeça erguida e trago-os para a luz do dia para os resolver. Isto parece resultar, pois as pessoas sabem que não entro em politiquices. São uma total perda de tempo.'[7]

Depois de 'termos estabelecido a direcção e assegurado que está a ser transmitida internamente' (John Roberts), a parte final do processo reside na persistência. Tim

Melville-Ross (director-geral do Institute of Directors) salientou a importância deste comportamento: 'Para se garantir uma mudança eficaz é importante passar, continuamente, uma mensagem persistente.'[8] Isto requer planeamento, energia e paciência. Planeamento, quando o líder precisa de clarificar atempadamente os seus pontos de vista; energia, quando o líder precisar de transmitir a mesma mensagem vezes sem conta a todos quantos encontra, tanto formal como informalmente – durante um longo período; e paciência, porque o líder terá de responder a inúmeras questões.

De todos os pontos levantados nesta secção, este último é provavelmente o mais importante. É o comportamento do líder que terá o maior impacto, e é relevante porque, de facto, só quando se gasta tempo e energia a conhecer pessoas e a explicar-lhes a mensagem é que as preocupações genuínas dessas pessoas são compreendidas. 'Para as pessoas mudarem, têm de ser convencidas sobre as razões para mudarem'[9] (Jim Mowatt, secretário nacional da Transport & General Workers Union). No entanto, para ser *realmente* eficaz, este comportamento 'do líder' precisa de ser reflectido pela restante equipa de gestão.

Libertar potencial

Talvez a chave para alcançar uma liderança eficaz da mudança seja possibilitar a libertação de todo o potencial das pessoas dentro da organização. Na maior parte das empresas, este potencial mantém-se adormecido e assim permanecerá até que algo seja feito para mudar o *status quo*. É semelhante a um iceberg, em que 70% da massa não é visível à superfície (ver Figura 6.1). Este não é apenas um desafio de liderança, é também uma forma de ajudar o líder. Abordaremos este assunto mais à frente neste capítulo mas, por agora, iremos concentrar-nos na forma de libertar potencial.

O primeiro ponto a salientar é que esta é talvez a coisa mais compensadora e emocionante que um líder pode conquistar. Todos os directores executivos com quem falámos referiram a sensação de orgulho que experimentaram ao verem os colaboradores atingirem o seu potencial. Mair Barnes (primeira mulher a ser nomeada directora executiva na Woolworths) afirmou: 'Acredito apaixonadamente no desenvolvimento das pessoas. Se conseguirmos derrubar as barreiras e as percepções limitativas, todos podem crescer, desde que alimentemos esse crescimento. Libertar essa energia e incentivar as pessoas a florescer é algo de mágico.'[10]

Ken Keir associou isso à criação de um clima de compreensão e disse: 'O aspecto mais compensador de liderar uma organização na mudança é ver a compreensão do conhecimento por parte de todos os envolvidos no processo'.[11] Não só é muito mais compensador como também se poderia dizer que libertar o potencial dos indivíduos é um dos aspectos fundamentais da liderança. Para gerir isto de forma verdadeiramente eficaz, o líder tem de, literalmente, entusiasmar as pessoas para obterem o seu melhor.

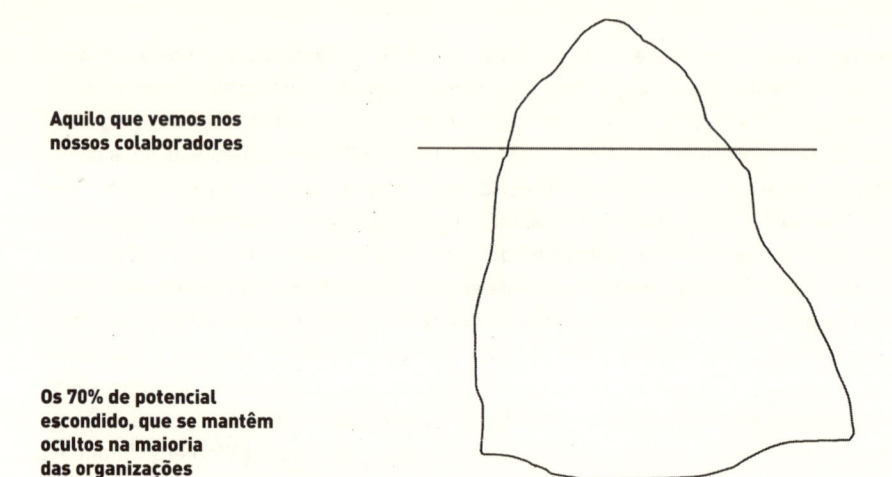

Aquilo que vemos nos nossos colaboradores

Os 70% de potencial escondido, que se mantêm ocultos na maioria das organizações

Figura 6.1 O Princípio do Iceberg do potencial humano

É geralmente reconhecido que o 'sentimento de propriedade' é um ingrediente--chave para a mudança se concretizar. Contudo, 'a propriedade tem de significar realmente alguma coisa' (Sir Stuart Hampson, presidente da John Lewis Partnership).[12] Isto é conseguido na John Lewis Partnership de duas formas. Em primeiro lugar, todos os colaboradores ou 'sócios' (*partners*) recebem uma parte dos lucros no final de cada exercício fiscal. Em segundo lugar, Hampson faz todos os possíveis por criar um clima na empresa onde confia a esses sócios todo o tipo de informação confidencial que a maioria das empresas restringe a meia dúzia de indivíduos de topo. Hampson acredita que os seus colaboradores têm um desempenho mais eficaz e com maior sentimento de propriedade se souberem o que se passa.

Existem outras empresas a fazer o mesmo, e talvez o melhor exemplo no Reino Unido seja a Asda. Esta empresa possui uma excelente forma de motivação e ajuda a encorajar todos os envolvidos no processo. No entanto, o dinheiro não tem de ser a única forma de motivação. Na verdade, estudos levar-nos-iam a crer que isso é menos importante do que aquilo que geralmente se pensa. O sentimento de propriedade abrange tudo o que permita à pessoa sentir que a sua contribuição é tão valiosa quanto valorizada.

Um bom exemplo disto, que também envolve criatividade, tornou-se evidente quando um dos autores deste livro visitou a RAF Cosford, em 1998. O objectivo desta estação é formar técnicos para a linha da frente da RAF. Uma das dificuldades com que os instrutores se deparavam era explicar eficazmente o funcionamento do sistema hidráulico de forma a que os alunos pudessem realmente compreender o processo. Um dos instrutores resolveu o problema ao realizar um curto vídeo onde se demonstrava o processo através de gráficos impressionantes. Conseguiu-o numa questão de semanas, sem nunca ter produzido antes um vídeo e sem qualquer formação em gráficos de computadores. O filme era de tal qualidade que não pareceria desenquadrado num documentário da BBC. Além disso, o nível de entendimento dos alunos melhorou significativamente, o instrutor ficou muito orgulhoso com o seu feito e, o melhor de tudo, os seus superiores festejaram a sua ideia inovadora. Foi visto como um verdadeiro esforço de equipa – e um exemplo de potencial 'libertado' que se desprendeu através do óbvio incitamento a uma contribuição valorizada.

Num ambiente de contínua mudança, os líderes precisam de defender a inovação e a criatividade. Se não o conseguirem, as organizações serão incapazes de aguentar o ritmo de mudança no futuro. O problema é que, ao contrário do que acontece na RAF, muitos dos gestores seniores de hoje não têm confiança para delegar poderes de forma adequada aos seus colaboradores, já para não falar de imaginação para incentivar os indivíduos com talento. Num ambiente de emocionantes transformações tecnológicas, que será a regra no futuro, parece ser imperativo que os líderes de amanhã adquiram as competências necessárias para apoiar os indivíduos no desenvolvimento pleno da sua criatividade.

Exemplo pessoal

O exemplo pessoal é um aspecto fundamental da liderança e em parte alguma isto é mais vital do que durante o processo de gestão da mudança. A forma como os líderes se comportam, a maneira como tratam as pessoas, a sua atitude perante assuntos éticos e a sua reacção em períodos de dificuldade são características observadas pelos seus seguidores. O posterior compromisso para mudar dependerá fundamentalmente dos juízos de valor feitos durante essa fase de observação. O ponto-chave é que ninguém conhece melhor o comportamento de um líder do que os seus seguidores. Se eles não estiverem convencidos, não o seguirão.

Em resposta à pergunta 'o que é importante na forma como faz negócios?', todos os directores executivos com quem os autores falaram responderam: 'Integridade'. Integridade, honestidade e confiança são palavras muito simples, mas as suas implicações na liderança são enormes. Elas são a cola que junta os líderes aos seguidores. No entanto, ao contrário do penso rápido, demora muito tempo a criar este laço, o tempo de ambos os lados testarem o seu relacionamento e, gradualmente, estabelecerem um padrão de trabalho em conjunto. Baseia-se na transparência, e o relacionamento será testado vezes sem conta até ambos os lados estarem satisfeitos por as coisas funcionarem.

Ninguém finge que isto é fácil, especialmente num processo de mudança em que, por exemplo, os gestores seniores poderão não estar aptos a ser inteiramente abertos devido à sensibilidade dos assuntos que estejam ainda a ser debatidos a um nível estratégico. Uma situação deste tipo sublinha o dilema real, que é o facto de não ser possível ser 'meio-aberto'; ou existe uma atmosfera de total abertura ou não existe, pura e simplesmente. Assim, é crucial que os aspectos difíceis dos relacionamentos sejam resolvidos de imediato, para que a desconfiança não se instale. Isto porque, apesar de demorar bastante tempo a estabelecer confiança, esta pode quebrar-se num minuto. Uma vez que tenha acontecido, poderá nunca mais ser restabelecida – conforme pode ser testemunhado por muitas equipas.

Uma das formas mais eficazes de construir um clima de confiança é o líder partilhar a experiência de trabalho dos seguidores. Isto pode assumir variadas formas, mas, fundamentalmente, implica que os gestores saiam dos seus gabinetes e descubram como é na realidade a vida lá fora. A maior parte dos directores executivos com quem falámos passaram bastante tempo fora dos seus gabinetes, a conhecer pessoas. Ken Keir, por exemplo, passou três dias e meio por semana fora, Jim Mowatt é conhecido por visitar os seus membros nos turnos da noite e o director da área do retalho da Woolworths, Leo McKee, visita cerca de 200 armazéns por ano.[13]

Um comportamento deste tipo não só mostra que o líder está realmente interessado nos colaboradores como também dá oportunidade aos mesmos para expressarem as suas preocupações e para abordarem temas de uma forma mais informal. Desde que o líder oiça e responda de forma aberta e honesta, a confiança será estabelecida e isso, na maioria dos casos, sustentará a empresa em períodos de dificuldade. É pois importante que o líder estabeleça um padrão nessas visitas logo desde o início, para que o laço seja 'estabelecido' antes de surgir uma crise.

Tudo aquilo que analisámos até agora neste capítulo poderia aplicar-se igualmente à gestão do *status quo*. Contudo, para liderar uma organização através da mudança contínua, é necessário algo extra – os líderes precisam de 'defender' a mudança. Isto envolve um espírito entusiasta em relação à mudança, reforçado com energia e paixão. Sem uma liderança entusiasta não se pode esperar que a organização abrace integralmente a mudança. A energia exigida não deve ser subestimada, particularmente se se tratar de um longo período. Este é um assunto que debateremos na próxima secção. A paixão é precisa porque sem ela não será possível sustentar a liderança durante muito tempo.

Destas três, talvez a paixão seja a chave, uma vez que gerir a mudança nos dias de hoje requer uma enorme resistência, e, sem paixão, é difícil um indivíduo resistir durante um longo período. Precisamos de ser bem claros sobre isto – já não existe lugar para os que se centram apenas nos ganhos de curto prazo neste mundo em mudança perpétua. O comentário simples de Gail Rebuck, dizendo que tem uma paixão por livros, sustenta a sua determinação em alcançar a excelência na Random House.

O exemplo exigido aos líderes pode ser bem resumido através dos três 'P' – *Passion* (paixão), *Praise* (elogio) e *Pride* (orgulho). Paixão pela mudança, elogiar os esforços de todos e orgulho nos resultados da equipa.

Ritmo próprio

O último dos comportamentos exemplificados pelos líderes com quem falámos é o seu 'ritmo próprio'. Todos nós achamos cada vez mais difícil enfrentar o ritmo da mudança, pelo que não é de surpreender que aqueles que se encontram no topo das organizações o considerem desgastante. Quando questionada sobre aquilo que considera difícil fazer, Gail Rebuck respondeu: 'Ter energia para aguentar o ritmo da mudança.'[14] Num artigo publicado na *The Times Magazine* em 1994, Martin Taylor (na altura director executivo do Barclays Bank) salientou que era necessário ser-se jovem no topo. 'Penso que não conseguiria fazer o meu trabalho como estou a tentar fazer se fosse cinco anos mais velho. De certeza que no início deste ano eu estava absolutamente nos limites da minha capacidade de resistência, que é razoavelmente elevada.'[15] Entre outros aspectos, o artigo chamou a atenção para o facto de, em meados dos anos 90, os homens na casa dos 40 estarem a ser procurados para gerir organizações devido à sua energia (o artigo incluía perfis de três líderes com idades compreendidas entre 41 e 43 anos: Martin Taylor, Tony Blair e Howard Davies, na altura director-geral do CBI). As pressões no topo são de tal forma crescentes que, quatro anos depois, Steven Cain, então com 34 anos, era nomeado director executivo da Carlton Communications.

Já observámos que a idade média dos presidentes executivos em funções passou dos 50 e poucos para os 40 e poucos anos numa só década, e será interessante ver até que ponto esta tendência continua no futuro. Seja como for, as fortes pressões sobre os indivíduos que actuam no topo das organizações têm resultado em inúmeras baixas, incluindo Martin Taylor. Por conseguinte, a necessidade imperiosa de os líderes encontrarem o seu próprio ritmo é fundamental.

Este 'ritmo próprio' pode ser desenvolvido, tal como qualquer outra competência. A nossa amostra de presidentes executivos era particularmente eficiente na gestão do seu tempo e era ainda mais digno de nota o facto de todos eles terem uma rotina para aguentar as enormes pressões em termos de tempo: John Roberts 'passava o tempo a gerir o tempo'; Sir Paul Condon geria o tempo 'impiedosamente'; Ken Keir tinha uma boa assistente pessoal; e Gail Rebuck era boa a dizer 'não'. O que todos eles perceberam, desde cedo nas suas carreiras, foi a importância vital de viver uma vida disciplinada como forma de controlar as pressões do tempo. Esta disciplina essencial é mais importante para os líderes de hoje do que alguma vez foi. Assim sendo, se um indivíduo não estiver apto a exercer uma auto-disciplina eficaz da gestão do seu tempo, não será capaz de lidar com o crescente ritmo da mudança.

Associada à gestão do tempo está a exigência de manter a vida de cada um equilibrada. Uma vez mais, os presidentes executivos com quem falámos faziam-no bem e faziam questão de gerir o conflito 'casa-trabalho'. Melville-Ross e Roberts guardavam ciosamente os seus fins-de-semana; Rebuck certificava-se de que conseguia chegar a casa pelas vinte horas, duas noites por semana, de forma a poder ver os filhos; e para Condon, a hora de saída era sacrossanta. Todos eles se mostraram bem conscientes da importância deste equilíbrio. Dava-lhes oportunidade de manterem os níveis de energia durante um período prolongado, bem como darem um pouco de descanso ao cérebro face às implacáveis exigências dos seus trabalhos.

É importante, para aqueles que desempenham funções de liderança a qualquer nível, garantir que mantêm uma vida equilibrada, evitando assim que o trabalho se torne demasiado opressivo. Isto pode ser alcançado de muitas formas (tais como interesse em desporto, *hobbies*, actividades de lazer ou família) e cada indivíduo terá as suas próprias preferências; o mais importante é desenvolver activamente esses interesses e não se tornar um escravo do trabalho. Não só é prejudicial para a saúde como também pode ter como resultado tornar-se um líder enfadonho!

O terceiro aspecto do 'ritmo próprio' tem a ver com a delegação. Tim Melville-Ross admitiu que, quando assumiu o cargo de presidente executivo da Nationwide, tentou puxar demais por si. Em resultado disso, deu consigo a trabalhar demais, e em seu redor todos se mostravam frustrados por não estarem a fazer o suficiente – consequentemente, o nível da gestão sénior não operava eficazmente. A sua confissão reflecte a experiência de inúmeros presidentes executivos quando assumem os seus cargos e é preciso que os indivíduos dêem passos positivos para contrariar este erro comum. Isto torna-se ainda mais prevalente durante a mudança, especialmente porque os líderes podem ser tentados a responder ao crescente volume de trabalho optando por fazerem tudo eles próprios em vez de distribuírem tarefas adequadas aos mais capazes.

Até agora preocupámo-nos com a exigência do líder encontrar o seu próprio ritmo, mas isso é igualmente importante para a organização, sendo consequentemente um resultado da liderança. Os bons líderes são sensíveis ao impacto do processo de mudança sobre os colaboradores e ajustam o ritmo da mudança a esse impacto. Estão conscientes da necessidade de incentivar o sentimento de propriedade através do diálogo e da delegação de poderes, estão alerta quanto à importância das avaliações frequentes (com vista a avaliar o impacto do ritmo das mudanças que estão a ser implementadas) e também quanto à exigência de se alcançarem transformações através de pequenos passos.

Os bons líderes adoptam uma certa flexibilidade em relação ao ritmo da mudança, adequando-a à aptidão dos seus colaboradores, de forma a que, idealmente, sejam capazes de realizar tudo com facilidade. Isto demora tempo – muito mais do que se pensa. Mair Barnes[16] afirmou: 'É importante não hesitar. Demora muito mais tempo do que se prevê – e tem de se ir muito mais fundo do que aquilo que se pensa.' Esta responsável referiu também a necessidade de 'pesquisar' selectivamente, um aspecto que foi também sublinhado por Sir Peter Davis: 'Tem que se pesquisar abaixo do nível da *mezzanine* para se descobrir o que realmente está a acontecer – e isso leva tempo.'[17]

Esta competência (porque é uma competência) da flexibilidade é um sinal de um líder competente. Requer trabalho árduo, sensibilidade e, grande parte das vezes, que o líder seja capaz de reconhecer que atingiu um 'ritmo próprio' errado. No entanto, esta capacidade, que tantas vezes se ganha às nossas próprias custas, é muito importante porque pode ser a chave para operar a um nível óptimo durante um período de tempo alargado. Num mundo de contínua mudança, isto é o mais relevante.

Não é de surpreender que, no nosso estudo, os presidentes executivos mais auto-disciplinados, que geriam o seu tempo de forma eficiente e que encontraram os seus ritmos próprios, fossem também os mais eficazes na gestão da mudança durante um período alargado de tempo. A lição é clara, e é um aspecto que, no futuro, deve chamar mais a atenção dos departamentos de selecção, uma vez que um líder que não possui este nível de auto-disciplina e maturidade apenas acabará por pressionar ainda mais a restante equipa. Antigamente era possível a equipa ter tempo para 'gerir' isso – mas esses tempos acabaram.

As competências necessárias para conquistar corações e mentes

Os cinco comportamentos da nossa amostra de presidentes executivos revelaram igualmente algumas competências necessárias para os 'líderes da mudança'. Estas incluem estabelecer uma direcção clara, eficácia como comunicador, libertação do potencial e da criatividade, delegação e flexibilidade. Para conquistarem os corações e mentes dos seus seguidores, os líderes precisam de desenvolver também outras competências.

A primeira relaciona-se com a libertação de potencial e com a delegação – ou seja, com a delegação de poderes (*empowerment*). Literalmente, isto implica que os líderes confiem inteiramente nos seus colaboradores, a ponto de saberem que assumirão a responsabilidade pelos seus actos. No entanto, embora muitos líderes compreendam a importância da delegação de poderes, apenas alguns apreciam a forma como se conquista. A chave para isso reside num bom trabalho de equipa. A criação de uma equipa eficaz é um requisito fundamental da liderança e é algo que não se consegue da noite para o dia. Requer trabalho árduo, planeamento, energia, flexibilidade e resistência. A delegação de poderes provém da confiança construída ao longo do tempo numa equipa que aprende a trabalhar em conjunto. Precisa de ser alimentada e desenvolvida, e isso requer paciência e orientação (*coaching*). Esta última é outra competência fundamental da liderança e assumiu mais importância à medida que as organizações reduziram o número de colaboradores, desenvolveram estruturas mais planas e 'inverteram o triângulo'. Com efeito, tornou-se de tal forma importante que a expressão 'líder como *coach*' ganhou um significado muito maior.

Para que consiga a total delegação de poderes, o líder precisa de criar o ambiente ideal e preparar as pessoas para o desempenho das suas funções. Uma vez mais, isto não se consegue rapidamente e, na maioria dos casos, é preciso que os próprios líderes aprendam a ser *coaches*.

O *coaching* está também associado à competência seguinte: o planeamento da sucessão. A necessidade de preparar sucessores é uma área com duas vertentes. O sector público, em geral, é bastante bom nesta área e, por exemplo, tanto a Administração Pública como os militares têm um impressionante registo de selecção de executivos seniores eficazes. O mesmo não se pode dizer do sector privado: mesmo as grandes empresas tiveram dificuldades neste aspecto (são exemplos disso a GEC e a Marks & Spencer, no final dos anos 90). A identificação e o desenvolvimento da nova geração de líderes, a todos os níveis, é uma competência necessária aos gestores seniores para que garantam a continuação da organização. Contudo, existe mais do que isso no actual ambiente, porque, para se ter sucesso, a prossecução das ideias é realmente o factor mais importante. Isto só se consegue através do desenvolvimento de um grupo de pessoas com ideias semelhantes que sejam incentivadas a crescer em conjunto, com os membros mais experientes a puxarem pelos restantes. Num ambiente desses, contudo, pode existir o perigo de 'clonagem', que deve ser evitado.

É importante que exista uma atmosfera de desafio e risco, para que os vários argumentos possam ser avaliados e testados. Isto é particularmente apropriado quando existe um grupo de bons candidatos que rivalizam entre si para serem seleccionados (sendo esta uma das razões para o óptimo historial na Administração Pública e Ministério da Defesa). A lacuna de não existir um plano eficaz de sucessão pode levar à perda de direcção e a um abrandamento da velocidade adquirida, o que poderá ser desastroso no actual mundo em rápido movimento. Por outro lado, as recompensas podem ser enormes, conforme Ken Keir salientou quando comentou a satisfação de ver uma jovem equipa, que ele próprio tinha seleccionado e ajudado a desenvolver, que estava a ser verdadeiramente bem sucedida ao nível da gestão sénior.

Outra competência que é particularmente pertinente ao nível sénior é a gestão das fronteiras. Esta implica o tempo que um líder passa do lado externo *versus* interno; e implica também gerir as 'fronteiras' dentro de uma organização. Ponderando primeiro o aspecto interno/externo, talvez a primeira surpresa de um indivíduo nomeado para o nível de presidente executivo seja a quantidade de tempo necessário para lidar com os assuntos externos. Naturalmente, isto depende da natureza do trabalho, mas não é invulgar ser-lhe pedido que vá a dois ou três eventos por semana, frequentemente à noite, e muitas vezes como 'orador convidado'. Estes compromissos são um extra face às exigências normais de lidar com os aspectos externos do cargo que se ocupa, que inclui uma boa rede de contactos. Esta última é parte essencial da comunicação a este nível, porque permite que as pessoas vão recolhendo informação aos poucos, promovam as suas ideias e que cultivem também aliados.

Com efeito, isto representa a construção de uma equipa a um nível executivo sénior.

No que diz respeito à gestão de fronteiras dentro de uma organização, ela requer que a 'antena' do líder esteja cuidadosamente sintonizada. Na maior parte das empresas, as intrigas de gabinete são endémicas e constituem uma parte do historial do relacionamento normal existente numa organização. Mesmo aqueles que advogam estarem livres de tal maldição verão que essa vertente vem à superfície assim que surge um problema. Os líderes precisam de estar conscientes do 'ruído de fundo' da organização e devem agir rapidamente para contrariar actividades e rumores motivados por politiquices, pois podem muito rapidamente provocar estragos. Na maioria das vezes não será algo que surge de forma malévola, mas antes algo provocado por sentimentos de insegurança. Uma vez mais, o papel do líder é contrariar esta tendência, através de uma comunicação clara. É uma competência que se adquire com a experiência; demora tempo, é cansativo e requer paciência. É também algo de essencial.

O leitor já terá reparado que o tema da comunicação reapareceu. Não é de surpreender, visto que é provavelmente a competência mais fundamental de todas – e abrange um espectro muito alargado. Existem ainda mais dois aspectos associados à comunicação que importa mencionar. O primeiro é que o líder deve agir como 'agente da comunicação'. Isto é especialmente importante num ambiente de contínua mudança porque, nas empresas eficazes, haverá sempre uma grande variedade de ideias que vão surgindo nos diversos departamentos e que podem manter-se desagregadas se não houver uma tentativa de as coordenar. É esta a função do líder. Mais especificamente, requer capacidade para estar atento a tudo quando está a acontecer nos vários departamentos da empresa, seguido de uma análise das diversas ideias e, consequentemente, da sua coordenação e alinhamento. O segundo aspecto, que já tinha sido mencionado, prende-se com a capacidade de ouvir. É uma competência essencial da comunicação e que se vai tornando cada vez mais importante à medida que se vai subindo hierarquicamente.

A última parte desta secção tem a ver com o auto-conhecimento. Não se trata de uma competência: no entanto, sem ela, as competências mencionadas não valeriam de nada. Abrange os aspectos-chave descritos por Daniel Goleman em *Emotional Intelligence*[18] (auto-confiança, maturidade, consciência própria – e valores). Está relacionado com todos os ingredientes que, em conjunto, constituem o indivíduo que é o líder. É promovido pelo exemplo pessoal, é amadurecido pela experiência e pode ser desenvolvido através da aprendizagem. Acima de tudo, tem a ver com crenças e valores. Um indivíduo pode desenvolver as competências necessárias da liderança, mas sem um forte sentido do que são os valores não lhe será possível conquistar os corações e mentes das pessoas. Além disso, necessita de ser transparente porque vai ser frequentemente questionado e, muitas das vezes, sem aviso. Esta Liderança Baseada em Valores é a primeira pedra da fundação sobre a qual as competências assentam.

E assim, lá chegaremos – às competências necessárias para conquistar corações e mentes. Recapitulando, são elas:

→ fornecer uma direcção clara
→ eficácia como comunicador (incluindo ser um agente da comunicação e um bom ouvinte)
→ deixar libertar potencial e criatividade
→ delegação
→ flexibilidade
→ delegação de poderes (incluindo o *coaching* e desenvolvimento do trabalho de equipa)
→ planeamento da sucessão
→ gestão das fronteiras (incluindo o equilíbrio externo/interno e a gestão das políticas internas)
→ e, é claro o auto-conhecimento.

Reunir tudo junto

Até agora, analisámos os comportamentos e competências necessários que se conjugam para que o líder consiga conquistar os corações e mentes das pessoas. Nesta secção final, analisamos a forma de reunir tudo isto para conseguir massa crítica de apoio ao processo de mudança.

O primeiro ponto a enfatizar é que os líderes têm de ser Defensores da Mudança. Isto pode conseguir-se de melhor forma se enfatizarmos os aspectos positivos da mudança. Requer uma abordagem optimista constante e serão necessários debates intermináveis para contrariar o negativismo. É esgotante, e por vezes o líder pensará duas vezes se vale a pena continuar. Quando experimentar este tipo de crise, lembre-se que todos os líderes da mudança passam por 'A Noite Negra do Inovador' – quando se pensa que as coisas já não podem piorar mais e elas pioram! Conforme observámos no Capítulo IV (Figura 4.3), isto acontece na parte mais baixa da 'curva da mudança' e é uma parte necessária do processo. Na verdade, um líder que ainda não tenha passado por isto não pode ter a certeza de que a organização iniciou realmente a curva ascendente. O outro ponto relacionado com a concentração nos aspectos positivos tem a ver com o facto de ser um meio essencial de encorajamento dos indivíduos que apoiam o processo de mudança. Eles precisarão de incentivo constante para se manterem seus aliados.

Ter uma estratégia clara é um requisito óbvio; contudo, conseguir isso num ambiente de constante mudança não é fácil. O problema é que a velocidade da mudança, que muitas vezes envolve rápidos desenvolvimentos tecnológicos, significa que uma determinada estratégia pode ficar desactualizada numa questão de instantes (por exemplo, a capacidade de processamento dos computadores duplica de oito em oito meses). É pois importante adoptar uma atitude flexível perante a estratégia e estar preparado para alterar a ideia de base e adaptá-la às circunstâncias em mudança. É igualmente importante incluir o contributo de todas as pessoas relevantes da organização em termos de desenvolvimento da estratégia, uma vez que isso encorajará o sentimento de propriedade.

Este é um aspecto fundamental do processo e, por isso, algo que os líderes da mudança precisam de encorajar e de desenvolver. Uma das melhores formas de o conseguir é associar os benefícios da mudança aos aspectos positivos da organização em termos da posição futura que irá ocupar. Esta pode ser uma das formas mais eficazes de combater o receio da mudança que, inevitavelmente, será vivido por muitas pessoas. Para muitas delas, será o receio da incerteza o maior problema. Para se contrariar isto é preciso suprimir desde cedo 'a incerteza'. Em muitas circunstâncias, a gestão sénior adiará o anúncio de uma decisão devido às implicações que a mesma terá nos seus empregados quando, na verdade, eles estão bem conscientes das opções e preferirão que lhes seja dito o pior. É muito melhor saber atempadamente que ficámos desempregados do que estar meses no impasse – pelo menos é possível começar a delinear planos alternativos.

Já mencionámos o ritmo próprio e isto é igualmente importante durante o processo. Importa rever constantemente os procedimentos, de forma a avaliar as implicações para as pessoas e para que haja garantia que todos são capazes de lidar com o ritmo da mudança. Será muitas vezes necessário abrandar o processo para assegurar que está a ser gerido da forma adequada. Ninguém deve estar iludido quanto a este aspecto de que se reveste a constante mudança – pode extenuar os seus mais solícitos defensores. Por conseguinte, é claramente uma responsabilidade de liderança garantir que as pessoas consigam lidar com esta pressão implacável, e os gestores precisam de estar preparados para aligeirar o programa quando for adequado e, acima de tudo, adoptar uma abordagem flexível. O recurso a avaliações frequentes é uma importante parte deste processo.

O outro aspecto crucial do ritmo próprio é conseguir a mudança através de pequenos passos. Isto faz-se melhor se começarmos por escolher a parte mais fácil, ou seja, obtendo a concordância de todos os envolvidos quanto à melhor forma de proceder – e, quando esta parte for completada, festejar o sucesso. Esta é uma abordagem que está mais do que provada, mas que é muitas vezes esquecida devido à pressa, por parte da gestão sénior, de alcançar demasiado depressa as mudanças necessárias.

Tudo isto implica sensibilidade. Os líderes têm de ser sensíveis, tanto ao ritmo da mudança como ao impacto que este tem nas suas equipas. Uma vez mais, depende da perícia na comunicação (particularmente em ouvir) – mas também implica a capacidade para observar o comportamento e agir ou tomar decisões quando necessário. Tudo isto faz parte do aspecto humano da liderança que todos os grandes gestores possuem.

Assim, resumindo, os ingredientes-chave são:

- → defender a mudança
- → ter uma estratégia clara, mas flexível
- → optimismo entusiástico
- → incentivar o sentimento de propriedade
- → suprimir o 'receio'
- → flexibilidade
- → enfatizar o positivo
- → comunicações eficazes
- → suprimir atempadamente a 'incerteza'
- → proceder a revisões frequentes
- → ter como objectivo pequenos sucessos, passo a passo – e lembrar-se de os festejar
- → resistência
- → sensibilidade

Sumário

Neste capítulo, analisámos os comportamentos e competências de que a liderança necessita para conquistar os 'corações e mentes'. Fizemo-lo expondo a experiência dos líderes eficazes da mudança e também com base no nosso próprio trabalho de ajuda às organizações que pretendem obter o melhor rendimento dos seus colaboradores.

Conquistar corações e mentes das pessoas não é fácil. Requer energia e persistência, especialmente quando a organização está no fundo da 'curva da mudança'. Ser um líder da mudança pode também ser uma posição solitária, pelo que é um dos motivos para se desenvolver um bom trabalho de equipa, partilhando os encargos e aproveitando o melhor dos talentos disponíveis. O objectivo é libertar o potencial de todas as pessoas na organização e fazê-lo de tal forma que o melhor dos antigos métodos seja equilibrado com o melhor dos novos.

Por fim, é importante existir diversão. Todos aqueles com quem falámos estavam obviamente a gostar daquilo que estavam a fazer e estavam também entusiasmados por ver que os seus colaboradores gostavam igualmente do trabalho que desempenhavam. Quem o resumiu melhor foi Sir Stuart Hampson, com a sua observação 'a alegria é um objectivo fundamental da gestão'.[19] Se as pessoas estiverem felizes no seu trabalho, irão ter um desempenho consistentemente bom. A chave para conquistar corações e mentes é o líder criar a atmosfera ideal para a alegria prosperar.

Notas de rodapé

1   Estudo do Institute of Directors (1998) *Sign of the Times*

2   Entrevista com John Roberts, 7 de Outubro de 1998

3   Entrevista com Sir Paul Condon, 11 de Novembro de 1998

4   *The Economist*, 13 de Fevereiro de 1999

5   Ken Keir, *op. cit.*

6   *People Mangament*, 4 de Dezembro de 1998

7   Entrevista com Gail Rebuck, 22 de Setembro de 1998

8   Entrevista com Tim Melville-Ross, 12 deAgosto de 1998

9   Entrevista com Jim Mowatt, 17 de Dezembro de 1998

10 Entrevista com Mair Barnes, 18 de Janeiro de 1999

11 Ken Keir, *op. cit*

12 Sir Stuart Hampson, *op. cit*

13 Entrevista com Leo McKee, 4 deFevereiro de 1999

14 Gail Rebuck, *op. cit.*

15 *The Times Magazine*, 1 de Outubro de 1994

16 Mair Barnes, *op. cit*

17 Sir Peter Davis, *op.cit*

18 Daniel Goleman (1996), *Emotional Intelligence*, Bloomsbury (*Inteligência Emocional*, Ed. Temas e Debates)

19 Sir Stuart Hampson, *op. cit*

Capítulo VII

ENTRADA

Neste capítulo vai:

→ analisar a concepção de que a 'estratégia' está fora de moda

→ descobrir um leque de opções estratégicas

→ rever os níveis de liderança e a cultura da organização como base de desenvolvimento da estratégia

→ perceber que os líderes no topo da organização precisam de ser lembrados dos temas reais da linha da frente

→ analisar a possibilidade de criar uma abordagem estratégica em tempos de incerteza

→ ver que criar as condições para a estratégia se desenvolver é tão importante como criar a estratégia em si

→ conhecer umas ferramentas simples para desenvolver a criatividade estratégica, incluindo estabelecimento de objectivos eficazes

Capítulo VII

Delinear uma estratégia eficaz da mudança

Estratégia – porquê incomodar-se?

Se há uma palavra que parece estar no centro, tanto da liderança como da vida da organização, é 'estratégia'. A ideia de ter um grande plano para tornar uma visão realidade é de importância fundamental para todas as organizações que queiram sobreviver e desenvolver-se. Nas últimas três décadas, temos assistido a um enorme crescimento no 'negócio da estratégia'. Dispendiosas organizações de consultoria oferecem soluções feitas à medida para os negócios que se querem desenvolver e crescer. Há também grande riqueza de literatura sobre o tema da estratégia empresarial, em geral. Não há qualquer dúvida de que esta reflexão beneficiou muitas organizações em todo o mundo, melhorando a sua capacidade não só de sobreviverem mas também de ganharem quota de mercado, conseguirem desenvolver as suas carteiras de operações e atingir elevados níveis de sucesso de diferentes maneiras.

No entanto, a questão da estratégia nos dias de hoje está de certa forma a levantar problemas. Ter uma ideia, uma estratégia bem delineada, implica ter planos concretos para o futuro e de alguma forma controlar e prever esse futuro. Hoje vivemos em tempos de tal forma incertos que se pode argumentar que já não é viável pensar na criação de um plano de longo prazo. De facto, muitos pensadores sobre os negócios, incluindo nós próprios, diriam que mesmo três anos já é muito tempo no mundo actual em que vivemos!

Mas esta ideia de que a estratégia já não é tão útil como no passado contradiz as nossas ideias sobre liderança. Mesmo no topo da nossa lista de Competências da Liderança está a ideia de definir uma direcção, ou criar o Grande Plano e tornar a visão realidade. Temos então um paradoxo. Existe uma necessidade óbvia de criar uma direcção. No entanto, é difícil ser firme em relação a essa direcção porque a situação está constantemente a mudar. Muitas organizações parecem responder a este paradoxo concentrando-se na eficácia de curto prazo em vez de tentarem criar uma abordagem estratégica de longo prazo para as suas operações. E há razões sólidas para seguir este rumo. O mundo financeiro procura constantemente bons retornos do investimento a curto prazo e os preços das acções estão muitas vezes estreitamente ligados ao desempenho operacional e aos resultados a curto prazo.

Em segundo lugar, é muito mais fácil justificar o tempo e os recursos investidos em optimizar processos num negócio através de contínuas iniciativas de melhoria e maximizando o rendimento operacional do que racionalizar e parar por um momento para fazer um planeamento estratégico. No entanto, é essa abordagem de planeamento que leva à obtenção de resultados na futura direcção da organização e, em última análise, no seu sucesso ou fracasso.

Em terceiro lugar, muita gente perguntará qual o sentido de planificar num mundo de incertezas. Claro que é melhor responder às exigências à medida que surgem em vez de investir recursos em criar uma estratégia que se pode tornar redundante do dia para a noite, em resultado da alteração de um factor externo, como por exemplo um novo concorrente ou um avanço técnico.

Foi este tipo de pensamento que levou a uma diminuição da popularidade de assumir uma abordagem estratégica, especialmente no mundo dos negócios. Na nossa opinião é uma abordagem perigosa.

Neste capítulo, vamos analisar a estratégia do ponto de vista da liderança e delinear uma série de abordagens práticas para permitir que a mudança eficaz aconteça. Acreditamos que é necessária uma abordagem equilibrada da estratégia. Vivemos em tempos de mudança acelerada e apenas os principiantes ingénuos tentariam criar um plano rígido a dez ou cinco anos ao qual se manteriam fiéis em todos os detalhes. A visão tem de ter em conta que a situação se vai alterar no actual ambiente de mudança constante. Isto vai quase de certeza significar que as estratégias se vão tornar redundantes ou desadequadas. Isto significa que temos de olhar de forma mais exaustiva para a estratégia para darmos a nós próprios mais opções em pontos-chave de decisão. Portanto, uma característica importante deste capítulo é mostrar que o factor mais significativo é o alcance das abordagens estratégicas e não uma estratégia específica.

Se a estratégia é uma questão tão polémica, por que é que nos incomodamos em tentar criar planos para o futuro? Talvez esta questão seja respondida de forma melhor por Arie de Geus no seu livro *The Living Company*[1].

Arie de Geus foi, durante muitos anos, o chefe de Planeamento de Cenários na companhia petrolífera Shell. Este papel implicava gerir uma equipa de investigadores cuja função principal era criar histórias de possíveis direcções futuras que o mundo podia tomar de forma a que a empresa pudesse prever o seu futuro, e assim tomar decisões de negócios mais sensatas. Um dos aspectos mais importantes sublinhado por Arie de Geus é que a duração média de uma empresa é relativamente curta. Cita como exemplo o facto de um terço dos nomes das empresas que constavam da lista da *Fortune 500* em 1970, terem desaparecido em 1983 devido a aquisições *(takeovers)*, fusões ou processos de liquidação. Portanto, Arie de Geus perguntou a si próprio que características se observavam em organizações que sobreviveram durante muito anos, por vezes séculos, como é o caso da empresa Stora ou da Sumitomo.

Descobriu que as empresas de longa duração que identificaram que o seu principal objectivo era sobreviver e atingir o seu potencial tinham quatro características principais: eram sensíveis às mudanças que ocorriam à sua volta, tinham um sentido coeso de identidade empresarial, toleravam experiências à margem da empresa e eram financeiramente conservadoras. Como ponto de partida para criar tanto as condições para o desenvolvimento da estratégia como a estratégia em si, estas quatro áreas parecem ser úteis.

A estratégia tem de possuir um ponto de vista sobre o futuro, e qualquer organização pode identificar cenários de base. Em primeiro lugar, o futuro pode ser claramente identificado. Por exemplo, um novo desenvolvimento tecnológico na electrónica pode significar que uma empresa transformadora poderá ter de reavaliar a sua posição no mercado, a forma como organiza a produção e como apoia os seus produtos no pós-venda. Para este tipo de situações futuras previsíveis, criar uma estratégia é uma questão de aplicar ferramentas bem testadas, como por exemplo, a análise SWOT (forças, fraquezas, oportunidades e ameaças) e elaborar mapas para criar uma resposta integrada à novidade.

O segundo tipo de cenário futuro surge quando existem duas ou mais opções claramente identificáveis. Por exemplo, uma organização empresarial pode querer expandir as suas operações e entrar em novos mercados. Deverá concentrar-se nestes mercados a nível nacional, numa área específica do mundo (digamos a Ásia ou a América do Sul), ou deverá tentar desenvolver-se em várias áreas ao mesmo tempo? Cada futuro possível tem prós e contras, e o processo estratégico tende a ser o da tomada de posições entre as alternativas, tendo em conta factores externos que podem alterar a atractibilidade relativa de cada um dos cenários possíveis.

Um terceiro tipo de cenário futuro envolve um leque completo de opções, em vez de uma ou duas alternativas específicas. Isto pode significar até nove ou dez direcções possíveis, muitas das quais se sobrepõem para criar um elevado grau de incerteza. Um exemplo pode ser o de uma empresa actualmente a operar a nível nacional e que queira desenvolver um negócio internacional. Em que países vai apostar? Vai escolher um país por continente ou todos os países num continente apenas? O leque de possibilidades é enorme.

O quarto e último cenário que identificámos é onde existe uma ambiguidade total.

A organização pode avançar em qualquer direcção. Um exemplo disto pode ser uma empresa de capital de risco que tem uma quantidade significativa de dinheiro para investir. Vai apostar no sector financeiro, no das comunicações, no da indústria informática, no da indústria transformadora ou no sector da exploração espacial? O rol de possibilidades é infinito e representa uma situação verdadeiramente ambígua. É importante identificar a natureza do futuro que a organização vai ter de enfrentar por que isso influencia directamente a abordagem necessária para criar, tanto as condições para a estratégia emergir, como a estratégia em si.

No entanto, antes de analisar estas duas questões, precisamos de reanalisar a nossa ideia de base do Capítulo I, a de que, na organização, ocorrem três níveis distintos do processo de liderança.

Revisão dos três níveis do processo de liderança

No Capítulo I tínhamos identificado os três níveis da liderança: estratégica, operacional e de contacto directo com os clientes. No entanto, antes de analisar a natureza do processo estratégico da liderança, é útil, neste estágio, relembrarmos os três níveis da actividade de liderança. Uma forma conveniente de o fazer é ter em conta o diagrama da Figura 7.1. Podemos ver que o nível estratégico diz respeito à visão, objectivo ou missão, valores e comunicação desses aspectos da organização. O nível operacional está mais preocupado em implementar a estratégia através da utilização eficaz de energia humana no dia-a-dia. Questões como estilo de gestão, a forma de orientação *(coaching)* que existe na atmosfera geral e o clima da organização são importantes a este nível operacional.

Robert Simons e Antonio Davila trataram da questão da gestão da energia num artigo muito útil na *Harvard Business Review*[2]. Diziam que embora os rácios de medição do desempenho das empresas envolva medir, por exemplo, o retorno por acção, o retorno dos activos e o retorno das vendas, talvez a forma mais útil possa ser reflectir como uma organização implementa a sua estratégia. O que sugerem é que o retorno do tempo de gestão e energia seja um factor determinante para avaliar se a organização é ou não eficaz em transformar a estratégia em acção.

O que os autores sugerem é que existe um rácio que mede o chamado ROM (*Return On Management* – Retorno na Gestão):

$$\text{ROM} = \frac{\text{Libertação de energia organizacional produtiva}}{\text{Gestão de tempo e atenção investida}}$$

A ideia de gestão da energia tem uma correspondência estreita com a ideia do alinhamento emocional porque reforça o conceito de que o papel principal do gestor é

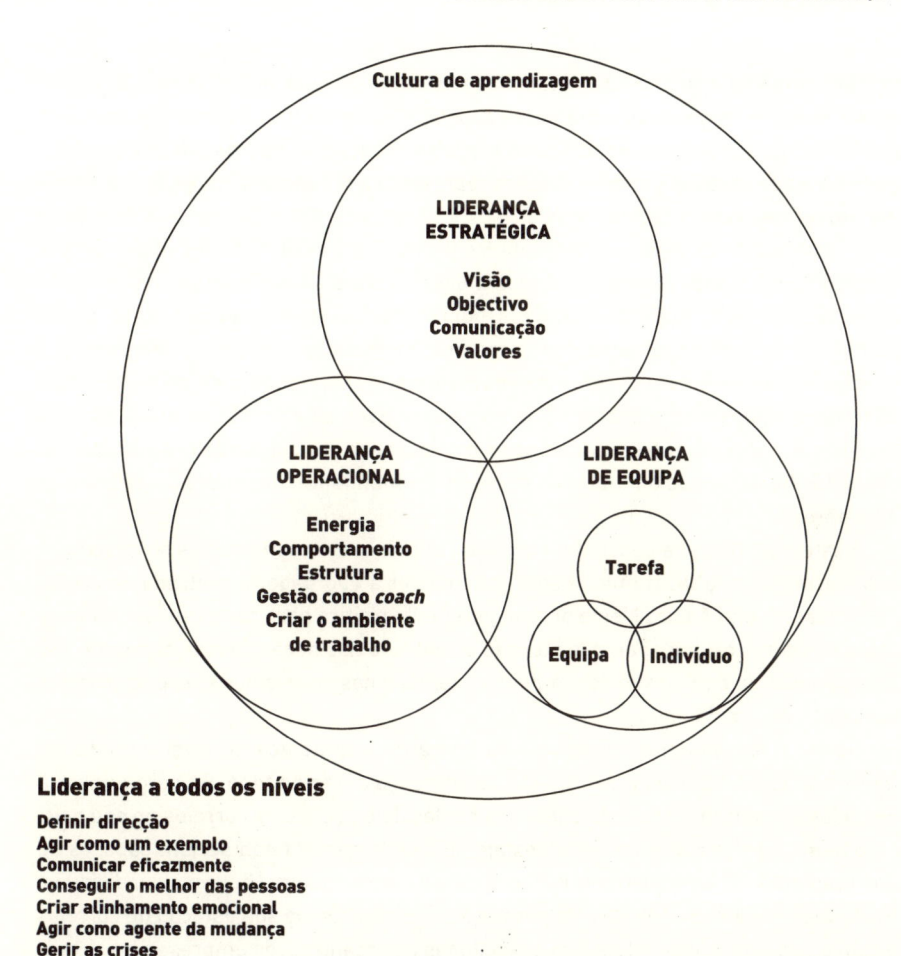

Figura 7.1 Um modelo da organização

alcançar resultados, tanto através dos seus esforços como dos esforços dos seus colegas. O grau em que isso acontece é ditado pela quantidade de energia que as pessoas direccionam para o seu trabalho. Não se trata apenas de trabalhar mais arduamente, mas também de identificar as questões-chave que justificam a energia e o esforço que são empenhados nelas. Voltaremos a analisar esta ideia mais à frente, no capítulo em que desenvolvemos a ideia de *Balanced Scorecard*.

O terceiro nível do processo de liderança que identificámos é a linha da frente, ou nível de liderança da equipa. É aqui que grupos e indivíduos são organizados como equipas, tanto no contexto da produção como do serviço. Normalmente as fronteiras da tarefa estão claramente definidas. Pode ser uma unidade de produção numa fábrica transformadora onde o líder da unidade está a responder por, digamos, dez indivíduos que têm de produzir uma quota específica de produção de trabalho para um padrão de qualidade definido. Ou pode ser uma situação do tipo *helpdesk* de consumidores, onde uma equipa de indivíduos representa a organização junto do consumidor em termos de serviço pós-venda.

O contexto da situação da linha da frente não interessa. O factor importante é a atitude e mentalidade dos indivíduos a operar nesta situação de equipa, e isto é definido mais pelo impacto dos seus líderes do que por qualquer outra coisa. Basta fazermos diversos voos com a mesma companhia aérea para chegarmos à conclusão de que é raro receber exactamente a mesma qualidade de serviço das diferentes equipas de trabalho. O factor-chave para determinar a qualidade dos serviços é normalmente a capacidade da liderança do comissário de bordo, da chefe das hospedeiras ou, nalguns casos, do comandante, dependendo da companhia aérea.

A este nível da linha da frente, é possível atingir grandes melhorias no desempenho, bastando para tal simplesmente desenvolver a abordagem, centrada na acção, do Professor John Adair[3]. Nesta abordagem muito prática para compreender a forma como os líderes devem operar, a atenção é centrada nas necessidades da tarefa, nas necessidades da equipa que desempenha a tarefa e nas necessidades específicas dos indivíduos dentro da equipa.

De facto, é realmente o impacto da liderança estratégica ao nível da linha da frente que é, talvez, o derradeiro teste da liderança eficaz no topo. Se perguntasse a um cidadão comum o nome do chefe dos chefes de estações de correios no seu país, ou o nome do chefe dos serviços postais, quase de certeza não seriam capazes de lhe responder. E provavelmente não querem saber quem são esses indivíduos. Preocupam-se é com a atitude da pessoa atrás do balcão na sua estação de correios e com o carteiro. Isto acontece em quase todas as organizações empresariais. A avaliação final é feita durante aquilo a que Jan Carlzon, da SAS, chamou o 'Momento da Verdade'[4].

Quando Carlzon herdou a SAS, a empresa estava a sofrer perdas substanciais. Num só ano, Carlzon deu a volta ao negócio de forma a registar lucros. A ideia que seguiu foi a de olhar para as interacções entre o pessoal e os clientes como principal elemento definidor da imagem da empresa, em vez de fazer uso de abordagens mais convencionais centradas em logos, identidade empresarial e desenvolvimento de activos físicos. O seu argumento era que, como a SAS transportava cerca de dez milhões de passageiros por ano e, em média, cada passageiro entrava em contacto com cinco membros do pessoal da companhia aérea, a chave do sucesso era a gestão eficaz destes 50 milhões de 'Momentos da Verdade'. Em muitos aspectos, Carlzon foi o precursor do actual interesse pelo conceito de capital intelectual, encarado como distinto do capital físico, num negócio.

Como avaliamos o impacto da liderança eficaz na linha da frente?

Reparámos numa tendência fascinante em relação a estes três níveis do processo de liderança e como podem ser integrados no mundo real. Em muitas organizações havia no passado uma sensação de que a gestão no topo está divorciada das questões da linha da frente. Muitos líderes organizacionais trabalharam arduamente para lidar com esta questão. Há vários anos, Tom Peters citou o exemplo do presidente da Sony Corporation, que despendia vários meses por ano a visitar os retalhistas dos produtos Sony e chegou mesmo a trabalhar ao balcão de lojas, vendendo os produtos a verdadeiros clientes. Esta é uma tendência que se reafirmou nos últimos anos, com os líderes empresariais a lutarem por identificar como podem melhorar a eficácia das suas organizações.

Deparámo-nos com dois exemplos muito curiosos deste interesse dos líderes de negócios em regressar à função de entrega básica da organização. Em primeiro lugar, Terry Brown, um milionário a gerir a empresa de férias Unijet, gastou recentemente uma semana como representante de excursões a um dos destinos onde a sua empresa organiza férias. Brown, o director-geral da Unijet, foi alvo de um programa documental da BBC *Back to the Floor* (voltar ao início), no qual directores-gerais e presidentes executivos voluntariamente trabalhavam durante um certo período de tempo na linha da frente das suas organizações, quer fosse no sector dos serviços ou na produção. Brown sentiu muitas das provações e aflições dos seus trabalhadores da linha da frente, incluindo lidar com passageiros hostis vítimas de atrasos nos aeroportos. Como resultado da sua experiência na linha da frente, Brown foi capaz de implementar uma série de pequenas alterações na forma como a Unijet opera. Individualmente, nenhuma das alterações era revolucionária mas, em conjunto, possibilitaram à Unijet e aos seus colaboradores trabalhar mais eficazmente e apreciar mais o trabalho que faziam.

Um outro exemplo do princípio *Back to the Floor* é o de uma empresa de utilidade pública do Sudoeste de Inglaterra. A South-West Water, uma subsidiária do Pennon Group PLC, teve uma história conturbada nos anos 90, incluindo incidentes de poluição, pouca empatia junto do público (em parte porque têm as mais elevadas cobranças nos preços da água e redes de esgotos) e uma série de outras questões. O resultado foi uma empresa que não só passou do sector público para o privado, como o fez num ambiente cada vez mais restritivo e regulamentado, com uma má imagem e uma força laboral desmotivada.

O presidente executivo, Bob Baty, com muitos anos de experiência na indústria da água, decidiu passar uma semana a trabalhar na linha da frente com os inspectores e as suas equipas. Isto implicou responder a uma série de incidentes e lidar com clientes furiosos que não compreendiam por que é que tinham de pagar elevados custos pelos serviços de água e esgotos numa área geográfica conhecida pela sua elevada taxa anual de pluviosidade.

Baty tinha dois objectivos em mente quando assumiu o exercício *Back to the Floor*. Primeiro, a questão da educação, de explicar por que era que a empresa tinha de cobrar montantes elevados pelos seus serviços. Questões como limpar velhas condutas de descargas de esgotos de petróleo ao longo de uma ampla faixa costeira, um gigantesco programa de substituição de velhas condutas de abastecimento de águas, instalações debilitadas e a pura dimensão geográfica da área de actuação da South-West Water, tudo isto precisava de ser explicado aos clientes.

Em segundo lugar, a distância notória entre a gestão sénior da empresa e a equipa de colaboradores da linha da frente e trabalhadores. Ao passar algum tempo com uma série de operadores da sua linha da frente, Baty conseguiu fazer muito para encurtar essa distância. Apesar de a organização ainda não estar perfeita, fez grandes avanços para um perfil público mais positivo e um ambiente mais saudável, especialmente entre os níveis médios de gestão. Ao falar da sua experiência na linha da frente, Bob Baty sentiu que era muito compensatória e que lhe ensinou mais do que qualquer curso de Gestão.

A lição a retirar a partir destes exemplos é que não é o que acontece no topo que interessa, mas a forma como a organização opera para desenvolver excelência em termos de entrega dos seus produtos e serviços na linha da frente.

Uma abordagem fascinante ao desafio da motivação na linha da frente é a dada por Jon Katzenbach e Jason Santamaria no seu artigo 'Firing up the front-line' ('despedir a linha da frente') numa edição recente da *Harvard Business Review*[5]. Os autores argumentam que, para muitas organizações, alcançar uma vantagem competitiva significa que o processo de entrega do produto ou serviço na linha da frente é o derradeiro elemento que faz a distinção entre o sucesso e o mediocridade. Citam como poderoso exemplo o impacto, na linha da frente, do processo de liderança eficaz, com um projecto de investigação levado a cabo pela equipa de investigadores da McKinsey. Estes investigadores decidiram explorar a abordagem 'missão, valores e orgulho' da Corpo de Fuzileiros norte-americanos para avaliar a sua relevância no mundo dos negócios. Descobriram que, apesar de existirem diferenças cruciais entre os Fuzileiros e o mundo empresarial, havia cinco factores que eram transponíveis.

Em primeiro lugar, os Fuzileiros investem imenso no cultivar de valores de base. Em segundo lugar, preparam todas as pessoas para liderar, independentemente da sua patente previsível. Terceiro, todos os indivíduos aprendem a importância do momento correcto para criar uma abordagem ou de equipa ou por grupos de trabalho com apenas um líder, dependendo do que seja mais apropriado para a situação. Isto é importante porque reforça a ideia de que a abordagem da equipa de consenso nem sempre é a resposta para todos os problemas que surgem no local de trabalho.

Em quarto lugar, todos os colaboradores atraem atenção, não apenas os que têm um elevado desempenho. Finalmente, a auto-disciplina é encorajada como forma de construir o orgulho. Apesar de a auto-disciplina parecer de certa forma desactualizada na sociedade moderna, é interessante reflectir na razão por que os indivíduos, tanto em posição de liderança como de seguidores eficazes, tendem a alcançar melhores resultados em relação às responsabilidades que têm a cargo quando aderem aos seus valores e seguem uma abordagem disciplinada ao comportamento. Este foi também um factor identificado no capítulo anterior, sob a designação de 'Ritmo próprio'.

A importância de uma cultura organizacional construtiva

Regressando aos nossos três níveis de liderança, é importante compreender que estes têm lugar dentro da estrutura cultural da organização. É a cultura da organização que determina até que ponto a liderança é incentivada ou restringida diariamente. Em organizações 'planas', onde a delegação de poderes faz parte do sistema de valores, tende-se a encontrar em todos os níveis, incluindo o da linha da frente, uma forte dose de liderança. Em contrapartida, em estruturas hierárquicas e burocráticas, a liderança tende a ser concentrada em poucos indivíduos, que assumem pessoalmente a responsabilidade pelas situações problemáticas.

Os três níveis e as condições para que a liderança eficaz aconteça

Se agora ligarmos isto à estratégia, uma estratégia bem sucedida da mudança deverá envolver os três níveis da liderança, uma avaliação e, (habitualmente), o desenvolvimento da cultura no sentido de promover um ambiente para a liderança emergir nos três níveis. A cultura não afecta apenas a linha da frente e a gestão média, mas também os directores, vice-presidentes e a equipa de gestão sénior como um todo. De facto, a forma como os indivíduos nas posições de liderança de topo dentro da organização se comportam uns com os outros e com o conjunto de trabalhadores são os factores determinantes da cultura, particularmente no que diz respeito ao grau de abertura das comunicações e à quantidade de energia que é desperdiçada nas politiquices internas. Ao criar uma estratégia, precisamos de garantir que as quatro áreas são tidas em conta: os três níveis da liderança e o cenário cultural.

A estratégia não só precisa de ter uma visão clara e sentido de oportunidade, como tem de ter a capacidade de ser transformada em acção, de forma a controlar a gestão da energia, para depois inspirar a linha da frente a querer apresentar resultados de alta qualidade de forma positiva, criativa e inovadora. Ao mesmo tempo, a cultura tem de possibilitar a criatividade, crescimento, inovação e liderança para se desenvolver.

Vamos agora começar a analisar a natureza da estratégia, tendo em mente este enquadramento quadripartido.

Nos últimos anos, parece ter havido uma acentuada redução no esforço das organizações em investir na criação de uma estratégia eficaz. Talvez esta seja uma das razões pelas quais parece haver uma tal necessidade de liderança em todas as nossas organizações. O pensamento tornou-se simplesmente reactivo, de curto prazo e oportuno, em vez de estratégico e de longo alcance. Michael de Kare-Silver defende esta ideia no seu livro *Strategy in Crisis* [6]. Nele sublinha o enorme aumento da concorrência que todas as organizações de negócios estão a viver e a qualidade do pensamento estratégico que é necessária para lidar com esta tendência e que está a fazer algumas duras distinções entre os vencedores e os perdedores. Por um lado, observámos as dificuldades que os gigantes estabelecidos, como a IBM e a GM, sentiram durante a última década, enquanto, ao mesmo tempo, existem alguns verdadeiros vencedores como a Procter & Gamble, WalMart e British Airways. Michael de Kare-Silver defende que 'raramente os líderes surgem com a coragem e a determinação suficientes para ultrapassar a mudança, comprometendo-se com uma estratégia e com o seguir em frente, e preparados para derrubar obstáculos para lá chegar'. Há uma forte ligação entre liderança e estratégia, e qualquer livro sobre liderança eficaz precisa de explorar e desenvolver esta ligação.

Para muitas organizações, estratégia e planeamento são vistos como a mesma coisa e significam pouco mais do que definir orçamentos. É o mesmo que dizer que o sucesso empresarial apenas pode ser medido em termos financeiros. Tal como recentes exemplos no mundo empresarial mostraram, isto está longe de ser verdade, e instrumentos como o *Balanced Scorecard* são uma tentativa de libertação do limitado ponto de vista puramente financeiro.

As estratégias para o futuro precisam de ser diferentes das do passado, e os líderes devem ter isto em conta, seja qual for a área em que operem.

Em primeiro lugar, deu-se uma mudança definitiva do poder, que passou do produtor para o comprador. As organizações que ignoram este facto fazem-no por sua conta e risco. Em segundo lugar, tal como Tom Peters disse em diversas ocasiões, 'grande não é necessariamente bonito'. Mais especificamente, a maior parte dos nichos de mercado são muitas vezes mais bem fornecidos por pequenas unidades de negócio extremamente responsáveis, que estão totalmente concentradas nas suas necessidades e fogem da burocracia como o diabo da cruz. A disseminação global das operações e a dissolução de todos os tipos de barreiras colocam uma enorme necessidade de adaptação em todas as organizações. Trabalho multicultural e questões de diversidade assumem agora um grau de importância que nunca antes tiveram.

A tecnologia, em especial a tecnologia de informação, está a abrir portas para mercados que nunca foram alvos sérios. Europa de Leste, África do Sul, Ásia, todos se tornaram mais significativos do que alguma vez previmos. Ao mesmo tempo, a nova concorrência de baixo custo está a aumentar todos os dias, o que significa que todas as organizações têm de ter muito seriamente em conta a sua competitividade.

Isto diz respeito à estratégia, mas o problema é que muitas das ferramentas que os líderes empresariais utilizaram no passado simplesmente não são apropriadas para os dias de hoje, uma vez que foram concebidas no mundo muito mais estável dos anos 60 e 70. Estas ferramentas, como a Matriz de Boston, Estratégia de Mercado do Impacto dos Produtos (PIMS-*Product Impact of Market Strategy*), as Cinco Forças de Porter e Três Estratégias Genéricas de Baixo Custo, diferenciação e concentração em nichos, e as Principais Competências de Hamel e Prahalad[7] foram todas úteis no seu tempo e ainda podem ter importância na formulação da estratégia. No entanto, cada abordagem tem forças e fraquezas e o leitor interessado deve consultar o excelente resumo de Kare-Silver destas e de outras abordagens.

A estratégia precisa de ser simples ou complexa?

O tema da estratégia pode ser tornado tão simples ou tão complexo quanto necessário. Henry Mintzberg e Joseph Lampel[8] apontaram dez escolas de estratégia. Três delas são prescritivas e baseadas nas ideias do design, planeamento e posicionamento. Os autores analisam cada uma das três em termos da fonte de cada abordagem à estratégia, disciplina de base, seus defensores, suas intenções e mensagens, bem como a homilias associadas, do género 'Olhar antes de saltar', 'Nada mais a não ser os factos' e por aí adiante. As outras abordagens são aquilo a que os autores chamam de 'descritivas', descrevendo as coisas como elas são em vez de como deveriam ser. Isto inclui uma visão empreendedora, abordagens baseadas no conhecimento, experimentação e aprendizagem, obtenção de poder, adequação cultural, adequação ambiental e configuração.

Embora se possa dizer que algumas destas divisões se sobrepõem e são, de certa forma, artificiais, elas apontam para o facto de a estratégia poder ser transformada numa ciência muito complexa! O perigo é, obviamente, que o processo de design se torne tão complexo que depois aconteça muito pouco no caminho da implementação. De facto, o último ponto frisado por estes autores é que realmente precisamos é da capacidade de fazer melhores perguntas e gerar menos hipóteses, para se criar uma melhor prática e não uma teoria mais elegante.

Estratégia e o futuro

O que agora parece estar a acontecer é que a formulação da estratégia no futuro vai ter de ter em conta o ambiente em mudança no qual a organização opera de forma mais abrangente do nunca. Em especial, a importância da abordagem estratégica para desenvolver capital intelectual é capaz de se tornar cada vez mais importante nas próximas décadas. À medida que passamos da era da importância do capital financeiro para a era da importância do capital intelectual e do conhecimento, como é que esta transição fundamental se reflecte na necessidade e processo de desenvolvimento de uma estratégia?

Kare-Silver salienta uma abordagem para delinear uma estratégia eficaz para o futuro. O seu modelo de *Market Commitment* (compromisso com o mercado) identifica, por exemplo, quatro eixos principais de vantagens competitivas que rodeiam um compromisso central. As quatro principais competências são 'serviço rápido', 'preço', 'desempenho' e 'emoção'. Uma vez mais, vimos a emergência da palavra começada por 'E'. Finalmente, estamos a reconhecer que os seres humanos são animais emocionais e que, uma vez mais, esta é um indicador da importância da liderança eficaz, que está tão fortemente ligada ao domínio da energia emocional.

Foi muitas vezes dito que a estratégia é o primeiro passo que damos para transformar uma política em operações reais. Durante muitos anos, a literatura de negócios publicou uma gigantesca quantidade de material sobre a estratégia, particularmente nas áreas financeiras e do marketing. No entanto, na parte final do século XX parece quase ter havido um abandono da estratégia, com a justificação de que não faz sentido tentar prever o futuro com planos estratégicos a cinco ou dez anos, porque o mundo pode mudar drasticamente em poucos meses, tornando esses planos inúteis.

Queremos realmente criar estratégia ou as condições para que ela surja?

Gary Hamel analisou esta questão num artigo para a *Sloan Management Rewiew*[9]. Defende que, em vez de tentarmos criar estratégia, deveríamos concentrar-nos em criar os pré-requesitos para que a estratégia aconteça à medida que o cenário muda. Esta citação resume a sua ideia: '...num mundo descontínuo, a inovação estratégica é a chave para a criação de riqueza...'. Portanto, em vez de falar em criação de estratégia, o enfoque deve ser em criar um ambiente no qual a estratégia possa emergir e crescer à medida que a organização se reinventa a si própria continuamente para lidar com o seu ambiente em mudança.

Hamel começa por sugerir que a estratégia não deve ser apenas da esfera da gestão de topo mas que outras pessoas, incluindo os indivíduos da linha da frente e os elementos mais jovens da organização, devem poder expressar as suas opiniões. Isto reflecte a ideia de Rosabeth Kanter[10] de 'Conselho da Juventude' na organização. Muitas organizações têm o seu 'Conselho de Anciãos', que Kanter sugere que deve trabalhar com os elementos mais jovens em vez de ignorá-los. Talvez a estratégia deva ter em conta tanto a energia da juventude como a sabedoria da idade![11]

O segundo argumento de Hamel é que é necessário criar novos processos de comunicação, que cruzem departamentos e até mesmo que cruzem indústrias, para evitar cair na armadilha de as mesmas pessoas falarem dos mesmos assuntos nas mesmas reuniões. É muito fácil surgirem padrões que gradualmente dissolvem qualquer possibilidade de pensamento criativo e estes padrões devem ser quebrados para se poder alcançar a verdadeira criatividade estratégica.

Criar um sentimento de paixão pela mudança é o terceiro ponto defendido por Hamel. O autor defende que os indivíduos apenas se opõem à mudança quando esta não oferece qualquer nova oportunidade ou benefício individual. Uma vez mais, podemos observar a importância do aspecto emocional a vir ao de cima, desta vez em termos da ideia de um retorno do investimento emocional. As pessoas investem energia emocional na mudança quando há uma possibilidade de criar um futuro único e excitante do qual podem partilhar.

As novas perspectivas são vitais se uma organização pretende criar as condições para o surgimento da estratégia criativa – esta é a quarta ideia de Hamel. É importante reavaliar, regularmente, as questões relacionadas com os clientes, com os colaboradores e as capacidades da organização, para permitir que esta se reinvente a si mesma.

Finalmente, temos a noção de novas experiências. Isto implica lançar no mercado uma série de pequenas experiências para evitar o risco, para ver quais as estratégias que irão resultar e as que não irão dar resultado.

QUADRO 7.1 CRIAR AS CONDIÇÕES PARA UMA ESTRATÉGIA EFICAZ EMERGIR

1. Envolver toda a gente, a todos os níveis, dentro da organização. Isto é particularmente verdade para os indivíduos na linha da frente, que podem ter de implementar a estratégia mudando a forma como trabalham.
2. Promover uma comunicação eficaz, tanto dentro da organização, ao nível de várias funções, como fora da rede. Tornar-se sensível ao mundo exterior e às suas mudanças é a chave para criar uma estratégia eficaz.
3. Criar uma paixão pela mudança. Vender às pessoas os benefícios de fazer as coisas de maneira diferente para produzir melhores resultados. Eliminar, tanto quanto possível, o receio da incerteza em relação ao caminho em frente.
4. Ganhar novas perspectivas em relação às capacidades e necessidades do mercado.

Olhe para os seus produtos, serviços e operações de tantos pontos de vista quantos os possíveis: clientes, fornecedores, colaboradores, comunidade local, associações comerciais e as outras partes interessadas que têm um interesse na sobrevivência da sua organização.

5 Leve a cabo pequenas experiências, de risco mínimo, à margem da sua operação para experimentar novas coisas e ver o que vai funcionar no futuro.

Por conseguinte, a estratégia tem a ver com a criação de condições para que aconteça, bem como com a criação de planos estratégicos rígidos. No entanto, precisamos de ter alguma ideia da direcção que pretendemos seguir, senão vamos simplesmente dissipar a nossa energia e os nossos recursos e, por fim, deixar de existir. Também precisamos de ter alguma ideia de para onde vamos, estando simultaneamente conscientes dos resultados que estamos a criar, e depois ajustar, em consonância, tanto a nossa estratégia como o nosso desempenho.

Combinámos as ideias de Hamel com as nossas próprias experiências de como criar as condições óptimas para a estratégia emergir e o resultado está patente no Quadro 7.1.

Criar estratégia – uma abordagem básica

O ponto de partida para criar a mudança é directo. É decidir onde se está no presente, depois criar uma visão para o futuro e, em terceiro lugar, conceber um processo para chegar lá. Vamos começar com a situação presente.

Há uma série de ferramentas simples e úteis que podem ser utilizadas para nos ajudar a criar uma estratégia para a mudança. Primeiro vamos considerar formas de avaliar a nossa posição actual. Talvez a mais amplamente conhecida destas ferramentas seja a análise SWOT – forças, fraquezas, oportunidades e ameaças. Os primeiros dois factores relacionam-se com as características internas da organização e os segundos com factores externos, que provavelmente vão ter impacto na nossa organização. Um processo directo de *brainstorming* é utilizado para identificar todas as forças que a organização parece ter e estas são apontadas numa tabela. Desta lista (que provavelmente será substancial), as mais importantes são escolhidas como áreas-chave sobre as quais construir no que diz respeito à posição da organização no mercado.

O segundo exercício é identificar os pontos fracos da organização. Normalmente, esta lista não é tão substancial, mas é importante, uma vez que pode identificar factores internos que potencialmente poderão limitar os progressos. Há quem diga que, na realidade, deveríamos ignorar os pontos fracos, porque quanto mais se pensa numa coisa mais probabilidades há de ela se tornar realidade! No entanto, acreditamos que é importante que os potenciais pontos fracos sejam identificados, ainda que as designações tenham sido alteradas e sejam referidas agora como 'áreas para desenvolver' ou 'o que ainda não está perfeito'. Apesar desta alteração de linguagem poder parecer inconsequente, devemos lembrar-nos da Liderança Persuasiva de Jay Conger, que sublinha a importância do estilo e do tipo de palavras de um líder na criação do impacto certo nos seguidores e no seu comportamento subsequente. Utilizar 'áreas para desenvolver', por exemplo, faz as pessoas avançarem de forma a melhorar as coisas, em vez de se espojarem na 'lama mental' do desânimo.

Os factores externos das oportunidades e ameaças são auto-explicativos e, uma vez mais, devem ser anotados numa tabela. Os factores mais significativos são então identificados e podem levar a uma estratégia baseada na ideia de capitalizar as forças e tirar partido das oportunidades, estando-se ao mesmo tempo consciente das áreas onde as coisas têm de melhorar internamente e das possíveis ameaças quer no ambiente externo quer no mercado.

A ideia de factores internos e externos foi utilizada de forma muito bem sucedida por uma série de conselheiros para estratégia de negócios. Tony Everett é um destes conselheiros (trabalhando essencialmente no Sudoeste de Inglaterra), que tem uma experiência enriquecida por ajudar pequenas e médias empresas a desenvolver os seus níveis de competitividade. Everett, em primeiro lugar, pede ao gestor da equipa para identificar os factores internos dentro do negócio que irão ter impacto na sua capacidade para ter um bom desempenho no futuro. Estes factores podem incluir a qualidade da equipa de trabalhadores, motivação da equipa de gestão e *cash flow* muito positivo. O mesmo processo é depois utilizado para identificar factores externos que terão também impacto na operação. Questões como a concorrência, a Internet, as expectativas dos clientes, as mudanças nos hábitos de consumo e mudanças na legislação normalmente surgem aqui. Os participantes são, depois, convidados a identificar os principais cinco factores internos e os cinco principais factores externos e estes são representados numa grelha como na Figura 7.2.

Factores Externos

		Factor Um	Factor Dois	Factor Três	Factor Quatro	Factor Cinco
Factores Internos	Factor Um					
	Factor Dois					
	Factor Três					
	Factor Quatro					
	Factor Cinco					

Figura 7.2 A matriz dos factores internos-externos

A cada célula é dado um resultado tendo em conta até que ponto estão relacionados os factores internos e externos relevantes. Uma elevada relação teria um resultado de 2, uma média ou fraca relação teria um resultado de 1, pouca ou nenhuma relação teria 0. Por exemplo, digamos que o Factor Interno Um é a capacidade de utilizar a informação tecnológica eficazmente e que o Factor Externo Um era a quantidade crescente de negócios a surgir via Internet. Estes factores terão um elevado impacto um no outro e teriam um resultado 2. Se, no entanto, o Factor Interno Dois fosse a qualidade da equipa de trabalhadores e o Factor Externo Quatro fosse a nova legislação sobre tratamento de resíduos, então, isto possivelmente teria como resultado apenas um 1, ou mais provavelmente um 0.

Uma vez preenchidas todas as células, as linhas são somadas, tal como as colunas.

Os resultados para cada factor externo e cada factor interno são depois classificados, sendo escolhidos os seis maiores resultados para formar a base da estratégia. Isto é depois representado no diagrama em espinha, para maior clareza, como apresentado na Figura 7.3.

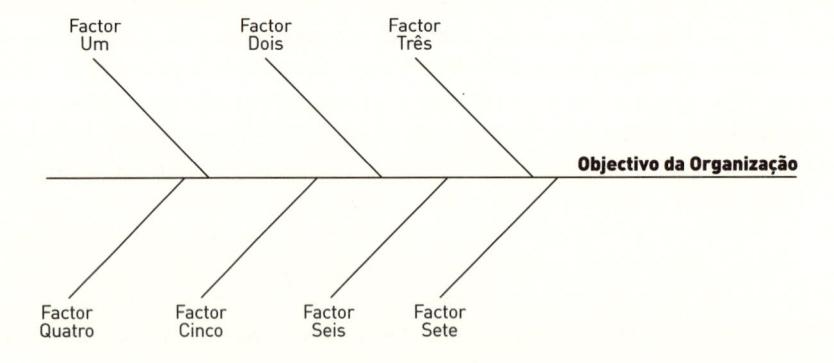

Figura 7.3 O diagrama estratégico em espinha

Simples instrumentos gráficos como o diagrama em espinha são úteis para depurar o pensamento e garantir que todos conhecem tanto a direcção estratégica como as áreas-chave onde é necessário esforço para garantir que a organização alcança a sua visão.

Criatividade estratégica

Um dos maiores obstáculos para as equipas de gestão de topo em termos de capacidade estratégica é, normalmente, a falta de criatividade. Com falta de criatividade queremos dizer falta de capacidade de criar, e estamos a referir tanto as condições para a criação da estratégia como também a qualidade criativa dessa estratégia. A nossa convicção é que o principal obstáculo que enfrentam é exactamente o caminho que a maior parte dos executivos seniores teve de percorrer para conseguir ganhar posições seniores dentro da organização.

Em termos psicológicos básicos, há muitos anos que se aceita que os processos do pensamento humano podem ser convenientemente divididos em dois tipo genéricos – os do lado esquerdo e os do lado direito do cérebro. No mundo dos negócios, o lado esquerdo do cérebro, ou seja, o pensamento lógico e analítico, é normalmente mais bem remunerado, certamente no curto prazo. A ironia é que é o lado direito do cérebro, criativo e de ideias arrojadas, que muitas vezes produz os melhores resultados a longo prazo. Portanto, ao compreender como criar as condições para o aparecimento da estratégia criativa e da qualidade da estratégia em si, o que os executivos seniores precisam de fazer é deixarem-se ir e descontrair. Este pode ser um grande desafio para muitos, particularmente para as apelidadas 'personalidades de retenção anal', programadas apenas para obedecer às regras e não estorvar os planos da empresa! No entanto, o futuro não vai ser como o passado. É precisamente o processo de desafiar 'vacas sagradas' que muitas vezes faz surgir as ideias fantásticas tão apreciadas por todas as empresas.

O poder de uma visão convincente

O ponto de partida para criar uma estratégia efectiva tem de ser o processo de visualização. A estratégia apenas funciona eficazmente quando se concentra em tornar realidade uma visão ou uma imagem convincente do futuro. Agora temos um prático estojo de ferramentas no que se refere à forma como podemos desenvolver a nossa capacidade de criar uma visão eficaz. A Programação Neurolinguística (NLP-*Neuro-Linguistic Programming*) deu-nos a conhecer a ideia de que os seres humanos criam representações internas do mundo à sua volta essencialmente de três formas: vendo, ouvindo e sentindo. Estes três modelos sensoriais podem ser divididos em submodalidades ou detalhes específicos de um processo interno de pensamento. Por exemplo, a ideia do modo visual, ou imagem interna que criamos de uma situação, pode ser a cores ou a preto e branco, pode ser estática ou estar em movimento, bidimensional ou panorâmica.

Seja qual for a nossa forma primária de criar representações internas de uma situação, controlamos os detalhes específicos desse mapa interno. A NLP é uma poderosa tecnologia psicológica que sem dúvida tem muito a oferecer para uma maior compreensão de como desenvolver um processo de visualização eficaz. Joseph O'Connor e Jonh Seymour explicam isto muito bem no seu excelente livro *Introducing NLP* [12].

O *Balanced Scorecard*

Não há dúvida de que o tema da estratégia pode estar mal definido no que se refere ao conhecimento sustentado e processos envolvidos. Não é uma ciência, nem é exacto em relação a haver uma maneira certa ou errada de criar quer as condições para a emergência da estratégia eficaz quer a estratégia em si. No entanto, para concluir este capítulo, é útil referir o trabalho de Robert Kaplan e David Norton e a sua ideia do *Balanced Scorecard* [13].

Estes escritores recordam-nos a máxima 'o que é medido é feito' e que medir o sucesso num negócio não se trata apenas de números financeiros de curto prazo. Kaplan e Norton sugerem que o ponto de partida para o *Balanced Score Card* seja a criação de uma visão e depois de uma estratégia para tornar essa visão em realidade. Sugerem que a estratégia deve ter em conta quatro questões-chave:

→ questões financeiras (como o retorno do capital, *cash flow*, lucros e rentabilidade)
→ questões relacionadas com os clientes (como valor do dinheiro, relações e inovação)
→ questões internas (como qualidade e gestão de projecto)
→ questões de crescimento (como a contínua melhoria e desenvolvimento da equipa de colaboradores)

Cada uma destas áreas é analisada e a seguir são examinadas as perspectivas específicas para cada uma das quatro áreas. Como resultado destas perspectivas, identificam-se factores críticos para o sucesso, que vão mostrar até que ponto a organização está a ser bem sucedida em cada área. Estes factores críticos para o sucesso são medidos com indicadores-chave de desempenho que fornecem um guia fácil e visual para o desempenho. O estilo exacto do *Balanced Scorecard* produzido por cada organização vai, obviamente, variar. No entanto, é o processo em cadeia da visão, estratégia, áreas perspectivas estratégicas, factores críticos para o sucesso e indicadores-chave de desempenho que dão a contribuição válida para o nosso pensamento sobre a estratégia e a sua implementação.

Estabelecimento estratégico de objectivos

A estratégia por si só não vale nada a não ser que possa ser transformada em acção positiva. Uma das maneiras-chave de conseguir isto é através do processo de estabelecimento estratégico de objectivos.

Durante muitos anos, o estabelecimento de objectivos foi reconhecido como uma competência-chave para os gestores e líderes eficazes. É de importância vital para a estratégia passar de ideias esotéricas a acções práticas. Este tema mereceu, recentemente, uma reflexão de Jim Collins na *Harvard Business Review*[14]. Collins defende que, apesar de muitos líderes e executivos seniores terem 'objectivos grandes, arrojados e audaciosos'- (BHAGs-Big, Hairy, Audacious Goals), muitos fracassam em transformá-los em resultados tangíveis porque lhes falta um mecanismo catalizador. Os mecanismos catalizadores são desenhados para garantir que as coisas acontecem, em vez de se criar mais burocracia. Tendem a beneficiar toda a organização e não um único elemento e muitas vezes causam desconforto àqueles que tradicionalmente detêm o poder. Normalmente têm aquilo a que Collins chama 'arestas', traduzidas em penalizações específicas, como bónus relacionados com a qualidade e castigos para os atrasos nas reuniões, por exemplo. Para fazer um trabalho BHAG, é importante garantir que a organização atrai as pessoas certas. Não se trata apenas de 'as pessoas são o nosso activo mais importante', mas sim de 'as pessoas certas são o nosso activo mais importante'. Atitudes e pessoas negativas devem ser eliminadas. O último elemento do mecanismo catalizador de Collins é que deve ser criado um efeito contínuo e não apenas um ou dois acontecimentos, como por exemplo um discurso ou uma reunião fora do local de trabalho. O importante é criar ímpeto.

Portanto, se é importante criar 'objectivos grandes, arrojados e audaciosos' e depois garantir que temos os mecanismos catalizadores para garantir que eles são traduzidos para a realidade, como é que começamos a estabelecer objectivos para garantir que realmente funcionam?

Os Quadros 7.2 e 7.3 dão algumas ideias sobre como podemos abordar o processo de estabelecimento de objectivos.

QUADRO 7.2 ALGUMAS IDEIAS PARA O ESTABELECIMENTO DE OBJECTIVOS ESTRATÉGICOS

1 Decida o que quer – seja SMART - *Specific, Measurable, Attainable, Realistic/ Relevant and Time-bounded* (específico, mensurável, concretizável, realístico/relevante e delimitado temporalmente).
2 Inscreva os seus objectivos numa matriz (áreas/escalas temporais).
3 Reveja os seus objectivos através das 'questões do poder'.
4 Decida qual o preço que está disposto a pagar para atingir o objectivo.
5 Faça um plano de projecto escrito para cada objectivo, trabalhando de trás para a frente para identificar as tarefas e as fases.
6 Faça alguma coisa para que a bola comece a rolar o mais depressa possível.
7 Antecipe possíveis barreiras para alcançar o objectivo e decida como vai lidar com essas barreiras.

8 Visualize como seria atingir o objectivo em termos do que veria, ouviria e sentiria.

9 Verifique os seus progressos e faça ajustamentos apropriados. A cada ponto de decisão, questione-se se o rumo de acção proposto o vai levar em frente ou afastar do seu objectivo.

10 Reveja a sua matriz de objectivos regularmente.

11 Concentre-se no ponto final, não no processo.

12 Lembre-se das Leis da Crença, Expectativas, Atracção e Correspondência. Se acreditarmos com suficiente força num objectivo podemos alcançá-lo, produzir o que esperamos produzir, atrair aquilo em que pensamos constantemente, mas precisamos também de ser consistentes no que dizemos que vamos fazer e no nosso comportamento efectivo.

QUADRO 7.3 AS DIFERENÇAS ENTRE OBJECTIVOS EFICAZES E INEFICAZES

OBJECTIVOS EFICAZES	OBJECTIVOS INEFICAZES
Indicam quanto é conseguido e como deve ser realizado	Não especificam nenhum nível de desempenho
São mensuráveis em termos de qualidade e quantidade	São vagos e nada específicos
Indicam primeiro quem é responsável para garantir que é concretizável	Omitem se imputam a responsabilidade a alguém
Prevêem um resultado final	Descrevem uma actividade sem especificar um resultado final
São claros e não ambíguos	São susceptíveis de interpretações erradas
Deixam claro quando o resultado final será alcançado	Sem fim à vista e sem qualquer delimitação temporal
São realistas, i.e., podem ser alcançados a 100%, tendo em conta todas as circunstâncias da situação, bem como a autoridade e a capacidade da pessoa em questão	São definidos de forma irrealisticamente elevada, i.e., não podem ser atingidos nas circunstâncias actuais
São desafiantes, provavelmente vão fortalecer as pessoas	Provavelmente seriam alcançados com um esforço mínimo
São de magnitude suficiente para cobrir vários 'passos de acção' e influências alheias	São meros 'passos de acção'

Por que é que devemos estabelecer objectivos?

Parece que as pessoas que estabelecem objectivos alcançam mais coisas; no entanto, é provável que menos de 5% dos executivos de negócios estabeleçam objectivos por escrito e, mesmo nesses casos, menos de 1% alcancem esses objectivos. Se reconhecemos que o estabelecimento de objectivos é importante para dar motivação e mensurabilidade, então por que é que as pessoas parecem tão relutantes em estabelecer objectivos específicos?

Encontrámos uma série de questões que são frequentemente sublinhadas por afirmações como:

- 'Saí-me bem sem estabelecer objectivos por escrito'
- 'Se eu estabelecer um objectivo posso falhar'
- 'Claro que tenho objectivos, na minha cabeça'
- 'Se eu atingir o objectivo tenho de viver em conformidade com ele'
- 'Estabeleço objectivos quando preciso'
- 'O estabelecimento de objectivos é bom para grandes tarefas'
- 'Os objectivos restringem a liberdade'

Enquanto estas são desculpas convenientes para não estabelecer objectivos, são um anátema à liderança eficaz. O estabelecimento de objectivos funciona e é uma componente vital do processo de estabelecimento de uma estratégia. Vamos agora analisar como podemos desenvolver um processo prático de estabelecimento de objectivos.

Os princípios do estabelecimento de objectivos

A primeira fase no estabelecimento eficaz de objectivos é empenhar-se num pensamento *blue-sky* (idealizado e sem limites). Robert Schiller, o conhecido evangelista, chama a isto 'possibilidade' de pensamento. Tem a ver com considerar todas as possibilidades independentemente da sua exequibilidade. Uma forma conveniente de abordar o pensamento *blue-sky* é pensar o que é que gostaria de ser, fazer e ter, tanto em termos de recursos como de resultados, se tudo fosse possível. A ideia é elaborar três listas e depois reduzi-las a sete objectivos-chave.

Uma vez terminada esta tarefa, há que criar uma matriz de objectivos, parcialmente construída em escalas temporais para os objectivos e, em parte, para garantir que os objectivos não entram de forma alguma em conflito uns com os outros. (Ver Figura 7.4).

Uma vez criada a matriz de objectivos, revemos cada um dos objectivos através das questões de poder representadas no Quadro 7.4, que constrói tanto as ideias de objectivos SMART como de visão, ou seja, o que veríamos, ouviríamos e sentiríamos, uma vez realizado o objectivo.

Área de actividade	1	2	3	4	5	6	7
Escala temporal							
1 mês							
3 meses							
6 meses							
1 ano							
3 anos							
5 anos							
10 anos							
Vida							

Figura 7.4 A matriz dos objectivos

QUADRO 7.4 AS QUESTÕES DE PODER PARA UMA DEFINIÇÃO EFICAZ DE OBJECTIVOS

→ O que é que quero alcançar?

→ Como é que posso criar duas formas de representar o meu objectivo visualmente (por exemplo, cartões de afirmação) para apoiar a minha actividade relacionada com objectivos?

→ Por que é que quero alcançar este objectivo?

→ Como é que posso dar a mim próprio uma verdadeira alavancagem para alcançar o objectivo?

→ Que benefícios obterei ao alcançar o objectivo?

→ Que sofrimento evitarei ao alcançar o objectivo?

→ Quando é que quero atingi-lo?

→ É realista e relevante?

→ É alcançável?

→ Se o tivesse alcançado, o que é que veria?

→ Se o tivesse alcançado, o que é que ouviria?

→ Se o tivesse alcançado, que sensações iria sentir exteriormente?

→ Como me sentiria interiormente?

→ Como é que vou exactamente iniciar a tarefa? (Sugestão – trabalhe de trás para a frente)

→ Que primeiro passo, em termos de acção, posso dar agora?

→ Porque é que ainda não atingi este objectivo?

→ Que entraves posso antecipar ao longo do caminho e como vou lidar com eles?

→ Quais são as qualidades pessoais que vou precisar de fortalecer para atingir o objectivo?

→ Quero realmente atingir este objectivo?

→ Quem mais será afectado?

→ De que recursos vou necessitar?

Sumário

Neste capítulo colocámos uma questão: 'porquê preocuparmo-nos com a estratégia?'. A resposta tem de ser que é a chave tanto para a sobrevivência como para o crescimento da organização. Em termos de longevidade, é vital que as organizações estejam conscientes do que está a acontecer à sua volta e de como se podem adaptar ao seu ambiente em mudança, mantendo ao mesmo tempo uma identidade coesa. Além disso, não se trata simplesmente de uma questão de falar ou até mesmo de criar estratégia. Em vez disso, é compreender que há três níveis de processo envolvidos: criar a direcção estratégica, implementar as componentes dessa direcção estratégica e criar impacto na linha da frente do negócio em termos de atitudes, crenças e qualidade da actividade.

A importância de uma cultura construtiva para permitir que este processo se desenvolva foi discutida, a par de uma análise que mostra que estamos agora a passar da Era 'Capital Financeiro' para a Era do 'Capital Intelectual e do Conhecimento'. O processo estratégico é feito a partir de dois aspectos distintos: criar as condições certas para a estratégia emergir e se desenvolver; e depois o processo de criar a estratégia em si. Apresentámos algumas ferramentas básicas que vão ajudar a desenvolver tanto a criatividade como a visão estratégica, e sugerimos que os vários aspectos do pensamento estratégico se podem encaixar de uma forma integrada, da qual o *Balanced Scorecard* é uma abordagem.

No próximo capítulo, vamos explorar a questão da avaliação do sucesso.

Notas de rodapé

1 Arie de Geus, (1999), *The Living Company*, Nicholas Brealey

2 'How High is your Return on Management?' *Harvard Business Review*, Janeiro-Fevereiro 1998

3 John Adair (1983), *Effective Leadership*, Gower

4 Jan Carlzon (1987), *Moments of Truth*, HarperCollins

5 Jon R. Katzenbach & Jason A. Santamaria, 'Firing up the front-line', *Harvard Business Review*, Maio-Junho 1999

6 Michael de Kare-Silver (1997), *Strategy in Crisis*, Macmillan

7 Gary Hamel & C.K. Prahalad (1994), *Competing for the Future*, Harvard Press

8 Henry Mintzberg & Joseph Lampel 'Reflecting on the Strategy Process', *Sloan Management Review* vol. 40, nº3, Primavera 1999 (*Revista Portuguesa de Gestão* nº2, 2000, www.indeg.iscte.pt/rpg)

9 Gary Hamel 'Strategy Innovation and the Quest for Value', *Sloan Management Rewiew* vol. 39, nº2, Inverno 1992

10 Rosabeth Moss Kanter (1988), *The Change Masters*, Unwin

11 Rosabeth Moss Kanter (1989), *When Giants Learn to Dance*, Routledge

12 Joseph O'Connor & Jonh Seymour (1990), *Introducing NLP*, Mandala

13 Robert S. Kaplan & David P. Norton 'Putting the Balanced Scorecard to Work', *Harvard Business Review*, Setembro-Outubro 1993

14 Jim Collins 'Turning Goals into Results', *Harvard Business Review*, Julho-Agosto 1999

Capítulo VIII
ENTRADA

Neste capítulo vai:

→ descobrir formas de avaliar o seu sucesso
como líder

→ confirmar o seu desempenho em relação
às referências das sete Competências da Liderança

→ explorar o seu desempenho em cada uma
das sete áreas de Competência da Liderança

→ desenvolver a consciência do que significa estar
'para lá da Categoria Internacional'

→ aprender como criar o seu próprio 'cartão
de resultados' da liderança

→ começar a perceber que o segredo da liderança
eficaz da mudança é a capacidade para conquistar
corações e mentes e aproveitar a energia
dos colaboradores com o objectivo de trabalharem
em conjunto para criarem um futuro melhor

Capítulo VIII

Avaliar o sucesso: passá-lo à prática

Como é que um líder sabe se tem sucesso? Para qualquer aspirante a líder ou líder no activo, esta tem de ser a pergunta fundamental que necessita de resposta, em todos os seus aspectos. Os seres humanos precisam de *feedback* do seu comportamento para compararem os resultados que produzem com os que pretendem alcançar. Muitas vezes se disse que não existe fracasso onde quer que seja que o comportamento humano esteja envolvido. Somos sempre bem sucedidos na produção de um resultado, mesmo que esse resultado não seja o pretendido! Neste capítulo, vamos analisar algumas ferramentas práticas que permitem aos líderes, de todos os níveis, avaliarem o seu desempenho e, consequentemente, melhorar a sua eficácia.

Temos que clarificar, logo desde o início, que não existe um único questionário ou técnica de medição que avalie a liderança eficazmente em todas as situações. O que nós fizemos foi propor um conjunto de ferramentas, algumas das quais – ou mesmo todas – podem ser adequadas à situação específica em que se encontra o leitor. Nenhuma destas ferramentas é melhor do que a outra, trata-se simplesmente de conveniência e aplicabilidade.

Para dar início ao processo de avaliação, importa recordarmo-nos da alteração fundamental na natureza da liderança. Já afirmámos que a liderança deixou de dar enfoque ao indivíduo e às suas características, para começar a tentar compreender os processos que esses mesmos indivíduos criam. Estes processos envolvem uma actuação aos níveis estratégico, operacional e das linhas da frente. No Capítulo II, quando analisámos os Motores-chave da Mudança, referimos que muitos líderes dos mundos financeiro e organizacional têm a possibilidade de criar uma visão para a organização, sob a forma de um conjunto constituído por dez características, os Factores de Categoria Internacional (*World Class Factors*). Em muitos aspectos, esta abordagem reflectiu a abordagem tradicional da tarefa e comportamento relacional, que foi um tema subjacente a muitos modelos de liderança.

As sete Competências da Liderança

Antes de analisarmos mais profundamente os Factores de Categoria Internacional e a sua relação com os processos de liderança, relembremos as sete competências básicas de liderança abordadas no Capítulo III: definir uma direcção, definir um exemplo, comunicação eficaz, criar alinhamento, conseguir o melhor das pessoas, agir como agente da mudança e tomar decisões em tempo de crise ou incerteza. Podemos construir uma ferramenta de auto-avaliação bastante eficaz em torno deste conjunto de competências.

Até que ponto você é bom nas seguintes competências no seu dia-a-dia?

Pontue a sua prestação até um máximo de 10 pontos para cada um dos aspectos referidos no Quadro 8.1.

QUADRO 8.1 AVALIAÇÃO DAS SETE COMPETÊNCIAS DA LIDERANÇA

1 Definir uma direcção clara com base numa visão de futuro, uma estratégia para tornar essa visão uma realidade e um conjunto de valores daquilo que é importante ao nível de como gere os negócios. _____

2 Definir um exemplo a seguir em termos de como actua pessoalmente no dia-a-dia no que diz respeito à gestão do tempo e enfoque nas prioridades, lidando com a pressão e interagindo eficazmente com os clientes. _____

3 Comunicar de forma eficaz, tanto com os colaboradores como com os clientes. Por exemplo, com que frequência dá informações gerais a todos os membros da sua equipa acerca do que se está a passar? _____

4 Já 'empolgou' a sua equipa para que todos assumam o compromisso de tornar o negócio bem sucedido? _____

5 Já criou um plano para cada pessoa na empresa em termos de desenvolvimento dos conhecimentos, competências, atitudes e capacidades que precisam de ter para trabalharem eficazmente, agora e no futuro? _____

6 Promove activamente um programa contínuo de melhoria do desempenho para identificar melhores formas de fazer as coisas, para então avançar com as mudanças? _____

7 Até que ponto enfrenta bem uma crise? Por exemplo, tenta solucionar tudo sozinho ou tenta delegar o problema em quem puder? _____

PONTUAÇÃO MÁXIMA TOTAL 70 _____

ESTE QUESTIONÁRIO BASEIA-SE NAS SETE COMPETÊNCIAS DA LIDERANÇA PUBLICADAS EM _THE BUSINESS OF LEADERSHIP_ (Hooper and Potter, Ashgate, 1997)

Este questionário é um ponto de partida útil para a avaliação da liderança. No entanto, um dos problemas que descobrimos na prática é que cada uma das sete áreas de competência é complexa em si própria e difícil de avaliar no seu todo com uma única resposta. Por exemplo, a primeira pergunta, relativa à definição de uma direcção, desdobra-se em quatro áreas: criar uma direcção, ter uma visão, tornar essa visão realidade e operar em consonância com um conjunto de valores. Abordámos este assunto pegando à vez em cada uma destas sete áreas de competência e criando um leque de dez perguntas para provar cada uma delas. O primeiro destes questionários prende-se com o tema do sentido de direcção (ver Quadro 8.2a).

Avaliação da competência da liderança

Atribua até 10 pontos a cada um dos elementos enunciados no Quadro 8. 2a

QUADRO 8.2A DEFINIR UM SENTIDO DE DIRECÇÃO – AUTO-PERCEPÇÃO

1 Tenho uma clara visão do futuro em termos do que estou a tentar conquistar como líder. _____

2 Tenho estratégias claras para tornar essa visão realidade. _____

3 Defini claramente objectivos faseados no tempo que permitirão realizar aqueles planos estratégicos. _____

4 Estou claramente concentrado nos resultados das minhas áreas-
-chave e dou prioridade a realizar eficazmente o meu trabalho, baseado no que acredito ser importante em termos de valores. _____

5 Os meus esforços estratégicos levam em consideração as mudanças no ambiente externo dos negócios. _____

6 Os meus esforços estratégicos levam em consideração o ambiente interno e a cultura da minha organização. _____

7 As minhas estratégias levam em consideração os três níveis dentro da organização: estratégico, operacional e da linha da frente. _____

8 Equilibro tanto os assuntos do negócio como humanos quando crio os meus planos estratégicos para o futuro, e as minhas decisões são baseadas num conjunto consistente de valores. _____

9 As minhas estratégias envolvem a criação de uma clara identidade para a minha organização, para que se diferencie de organizações similares e concorrentes. _____

10 Ao criar as minhas estratégias, oiço uma série de diferentes pontos de vista e opiniões antes de decidir a direcção a seguir. _____

Este questionário explora dez áreas-chave do desempenho do líder a partir da própria percepção que o líder tem da sua actuação. O valor do questionário pode ser fortemente majorado se o desempenho do líder for avaliado por outros indivíduos, e é isso que fornece a base para uma avaliação de 360º. Assim, podemos converter este questionário para o formato da 'percepção dos outros' (Quadro 8.2b), que possibilitará então que a actuação do líder seja avaliada pelas pessoas que a ele reportam na organização, pelos seus pares e pelo indivíduo a quem estes reportam.

Pense na liderança de .... (nome do líder em questão) e atribua-lhe uma pontuação até 10 pontos por cada um dos itens listados no Quadro 8.2b.

QUADRO 8.2B DEFINIR UM SENTIDO DE DIRECÇÃO – AVALIAÇÃO DOS OUTROS

1 Tem uma clara visão do futuro em termos do que está
a tentar conquistar como líder. _____

2 Tem estratégias claras para tornar essa visão realidade. _____

3 Definiu claramente objectivos faseados no tempo
que permitirão que os referidos planos estratégicos sejam
concretizados. _____

4 Está claramente concentrado nos resultados das
áreas-chave e dá prioridade à eficácia do seu trabalho, com
base no que considera ser importante em termos de valores. _____

5 Os seus esforços estratégicos levam em consideração
as mudanças no ambiente de negócios exterior. _____

6 Os seus esforços estratégicos levam em consideração
o ambiente interno e a cultura da organização. _____

7 As suas estratégias levam em consideração os três níveis
dentro da organização: estratégico, operacional e da linha
da frente. _____

8 Equilibra os assuntos do negócio com os humanos quando
cria planos estratégicos para o futuro e as suas decisões são
baseadas num conjunto consistente de valores. _____

9 As suas estratégias envolvem a criação de uma clara
identidade para a organização, para que se diferencie
de organizações similares e concorrentes. _____

10 Ao criar as suas estratégias, ouve uma série de pontos
de vista e opiniões antes de decidir a direcção a seguir. _____

Estabelecer um exemplo

A liderança baseada em valores está cada vez mais a ser reconhecida por muitos autores como fundamental para o sucesso dos líderes em todos os tipos de organizações. Ao falarmos em liderança baseada em valores, queremos dizer que existe uma afirmação inequívoca do que é importante no que diz respeito à forma como a organização conduz o seu negócio.

Os valores são um dos aspectos principais em qualquer tipo de organização. Os colaboradores devem ser esclarecidos sobre a forma como a organização toma as suas decisões. Se uma organização afirma publicamente que os colaboradores são o seu mais importante recurso e activo e depois responde a uma quebra nos negócios optando por dispensar pessoas imediatamente, está a colocar em causa a credibilidade de todo o seu conjunto de valores.

O que nós descobrimos durante a nossa investigação sobre as organizações onde se pratica uma liderança baseada em valores é que os líderes dão um bom exemplo e 'cumprem o prometido'. Não dizem uma coisa e fazem outra, em nome das conveniências. Vivem os seus valores no dia-a-dia, e é isto que frequentemente sustenta o seu sucesso. A liderança tem tanto a ver com comportamento como com retórica. As pessoas copiam o que vêem os seus líderes fazer em termos de comportamento em vez daquilo que lhes foi dito para fazerem de forma bem explícita. Esta é a nossa segunda dimensão da competência de um líder.

Assim sendo, até que ponto você dá um bom exemplo? Complete o questionário do Quadro 8.3a e veja como é no que diz respeito à representação de um modelo de referência.

Pontue-se até 10 para cada um dos elementos apresentados.

QUADRO 8.3A ESTABELECER UM EXEMPLO – AUTO-PERCEPÇÃO

1 Tento sempre comportar-me da forma como quero que os outros se comportem. _____

2 Muitas vezes dou por mim a orientar (*coach*) os outros em relação à forma como podem solucionar problemas. _____

3 As outras pessoas tendem a copiar a forma como lido com um projecto. _____

4 Os meus padrões pessoais são elevados. _____

5 As outras pessoas procuram a minha orientação quanto à forma de lidar com situações interpessoais difíceis. _____

6 É perceptível que as outras pessoas tendem a copiar o meu estilo de gestão. _____

7 Ficaria feliz se as outras pessoas me tratassem da forma
como as trato. _____

8 Acredito que os modelos de referência são importantes
em termos de criação do comportamento organizacional eficaz. _____

9 Não espero que alguém faça algo que eu próprio não esteja
preparado para fazer. _____

10 Os gestores e os líderes devem sempre comportar-se da forma
como pretendem que os outros se comportem. _____

Por conseguinte, de que maneira os seus seguidores entendem a sua forma de actuar como um exemplo?

Pode converter o questionário para o formato em que o líder é avaliado pelos seus colegas (Quadro 8.3b). Pense na forma de liderança de.. (nome do líder em questão).

QUADRO 8.3B ESTABELECER UM EXEMPLO – PERCEPÇÃO DOS OUTROS

1 Tenta sempre comportar-se da forma como deseja que os outros
se comportem. _____

2 Muitas vezes parece estar a orientar os outros (*coach*)
em relação à forma como podem solucionar problemas. _____

3 As outras pessoas tendem a copiar a forma como estabelece
a aceitação de projectos. _____

4 Os seus padrões pessoais são elevados. _____

5 As outras pessoas olham para ele à procura de orientação
quanto à forma de lidar com situações interpessoais difíceis. _____

6 Percebe-se que as outras pessoas tendem a copiar o seu estilo
de gestão. _____

7 Ficaria feliz se as outras pessoas o tratassem da forma como
eles trata os outros. _____

8 Acredita que os modelos de desempenho são importantes
em termos de criação do comportamento organizacional eficaz. _____

9 Não esperaria que outra pessoa fizesse algo para o qual ele
próprio não estivesse preparado. _____

10 Acredita que os gestores e os líderes devem sempre comportar-se
da forma que pretendem que os outros se comportem. _____

Comunicação eficaz

A nossa terceira área de competência relaciona-se com a comunicação. Atribua a si mesmo uma classificação com um máximo de 10 pontos por cada um dos elementos enunciados no Quadro 8.4a.

QUADRO 8.4A COMUNICAÇÃO EFICAZ – AUTO-PERCEPÇÃO

1 Comunico as minhas estratégias claramente e de forma a que os outros as possam entender. _____

2 Sou um bom ouvinte. _____

3 Reúno frequentemente grupos de gestores da minha organização para debatermos informalmente vários assuntos. _____

4 Tenho em acção, na minha organização, mecanismos que permitem às pessoas de todos os níveis transmitirem as suas preocupações, tanto no que respeita a assuntos de trabalho específicos como gerais. _____

5 Sinto-me tão satisfeito ao falar para um grande número de pessoas como para uma só. _____

6 Falo regularmente com os colaboradores da linha da frente para saber quais as suas opiniões sobre os assuntos correntes. _____

7 Sinto-me à vontade a lidar com os media, incluindo dar entrevistas para a rádio e televisão. _____

8 As pessoas de todos os níveis da organização acham fácil falar comigo. _____

9 Procuro activamente oportunidades para falar acerca da minha visão e estratégia. _____

10 Utilizo uma série de métodos diferentes para me manter em contacto com os meus colegas, incluindo *e-mail* pessoal. _____

Agora, para saber a percepção que as outras pessoas têm em relação à sua comunicação, peça-lhes que atribuam a... (nome do líder em questão) até 10 pontos por cada um dos elementos listados no Quadro 8.4b.

QUADRO 8.4B COMUNICAÇÃO EFICAZ – PERCEPÇÃO DOS OUTROS

1. Comunica as suas estratégias claramente e de forma a que os outros as possam entender. _____

2. É bom ouvinte. _____

3. Reúne frequentemente grupos de gestores na sua organização para debater informalmente vários assuntos. _____

4. Tem em acção, na sua organização, mecanismos que permitem às pessoas de todos os níveis transmitirem as suas preocupações, tanto no que respeita a assuntos de trabalho específicos como gerais. _____

5. Sente-se tão satisfeito ao falar para um grande número de pessoas como para uma só. _____

6. Fala regularmente com os colaboradores da linha da frente para saber quais as suas opiniões sobre os assuntos correntes. _____

7. Sente-se à vontade a lidar com os media, incluindo dar entrevistas para a rádio e televisão. _____

8. As pessoas de todos os níveis da organização acham fácil falar com ele. _____

9. Procura activamente oportunidades para falar acerca da sua visão e estratégia. _____

10. Utiliza uma série de métodos diferentes para se manter em contacto com os colegas, incluindo *e-mail* pessoal. _____

A nossa quarta área de competência da liderança está relacionada com a criação de alinhamento (ver Quadro 8.5a). É aqui que o líder actua de forma a mobilizar a energia de todos para trabalharem no sentido de tornarem a sua visão uma realidade. No entanto, é importante perceber que alinhamento não é clonagem. O alinhamento emocional tem a ver com concordância quanto à visão, objectivo e conjunto de valores. Simultaneamente, é importante admitir diferenças de opinião, porque podem dar um valor acrescentado à boa qualidade de actuação da organização e aos níveis de inovação e criatividade.

Dê a si mesmo valores até 10 pontos por cada afirmação.

QUADRO 8.5A CRIAÇÃO DE ALINHAMENTO – AUTO-PERCEPÇÃO

1. Uso no dia-a-dia a minha energia de forma eficaz. _____

2. Encorajo as outras pessoas a utilizarem diariamente a sua energia de forma construtiva. _____

3 Acredito que a maioria das pessoas da minha organização tentam seguir a mesma direcção que eu.

4 Em toda a organização, as pessoas têm uma perspectiva clara da minha visão para o futuro da organização.

5 Criei um forte sentido de objectivo comum na organização.

6 Não tolero nem encorajo politiquices departamentais na minha organização.

7 Existem poucas pessoas na organização que não estão sintonizadas com o nosso sentido de direcção.

8 A maioria das pessoas na organização partilham do meu entusiasmo de tornar a visão uma realidade.

9 As pessoas partilham os meus sentimentos positivos de trabalhar nesta organização.

10 Criei um forte sentimento de identidade e de coesão na organização.

Agora, passemos à percepção das outras pessoas quanto à sua capacidade para criar alinhamento emocional (ver Quadro 8.5b).

Pense como... (nome do líder em questão) consegue que as pessoas na organização trabalhem em conjunto e atribua-lhe uma pontuação até 10 por cada um dos seguintes itens.

QUADRO 8.5B CRIAÇÃO DE ALINHAMENTO – PERCEPÇÃO DOS OUTROS

1 Usa no dia-a-dia a sua energia de forma eficaz.

2 Incentiva as outras pessoas a utilizarem diariamente a sua energia de forma construtiva.

3 Acredita que a maioria das pessoas da sua organização tenta seguir a mesma direcção que ele.

4 Em toda a organização, as pessoas têm uma perspectiva clara da sua visão para o futuro da organização.

5 Criou um forte sentimento de objectivo comum na organização.

6 Não tolera nem incentiva politiquices departamentais na organização.

7 Existem poucas pessoas na organização que não estão sintonizadas com o sentido de direcção dele.

8 A maioria das pessoas na organização partilha do seu entusiasmo de tornar a visão uma realidade. _____

9 As pessoas partilham os sentimentos positivos que...................... sente por trabalhar nesta organização. _____

10 Criou um forte sentimento de identidade e coesão na organização. _____

A nossa próxima competência da liderança tem a ver com conseguir o melhor das pessoas. Pontue a sua capacidade, atribuindo até 10 pontos por cada um dos itens enunciados no Quadro 8.6a.

QUADRO 8.6A CONSEGUIR O MELHOR DAS PESSOAS – AUTO-PERCEPÇÃO

1 Acredito que toda a gente tem muito potencial não explorado ao nível da sua possível contribuição para o sucesso da organização. _____

2 Encorajo todos os gestores a criarem planos de desenvolvimento pessoal para os seus subordinados. _____

3 Passo um considerável período de tempo a orientar (*coaching*) as pessoas que reportam a mim. _____

4 Apoio activamente uma avaliação contínua, realizada regularmente, como parte da gestão eficaz. _____

5 Acredito que as pessoas pretendem essencialmente ser bem sucedidas no seu emprego e faço tudo o que me é possível para as ajudar a alcançar esse sucesso. _____

6 Vejo a formação e o desenvolvimento como um investimento e não um custo. _____

7 Felicito regularmente as pessoas quando estas alcançam bons resultados. _____

8 Concentro-me em desenvolver os pontos fortes das pessoas em vez de corrigir as suas fraquezas. _____

9 Incentivo as pessoas a falarem das suas necessidades de formação e de desenvolvimento e apoio activamente o seu enriquecimento pessoal. _____

10 Vejo os meus colaboradores como um investimento em capital intelectual e procuro constantemente formas de aumentar esse capital. _____

Uma vez mais, conseguimos chegar ao que as pessoas pensam da capacidade do líder para conseguir o melhor das pessoas (Quadro 8.6b).

QUADRO 8.6B CONSEGUIR O MELHOR DAS PESSOAS – PERCEPÇÃO DOS OUTROS

1 Mostra a sua convicção de que toda a gente tem muito potencial não explorado ao nível da sua possível contribuição para o sucesso da organização. _____

2 Encoraja todos os gestores a criarem planos de desenvolvimento pessoal para os seus subordinados. _____

3 Passa um considerável período de tempo a orientar (*coaching*) as pessoas que a ele reportam. _____

4 Apoia activamente uma avaliação contínua, realizada regularmente, como parte da gestão eficaz. _____

5 Acredita que as pessoas pretendem essencialmente ser bem sucedidas no seu emprego e faz tudo o que lhes é possível para as ajudar a alcançar esse sucesso. _____

6 Vê a formação e o desenvolvimento como um investimento e não como um custo. _____

7 Felicita regularmente as pessoas quando estas alcançam bons resultados. _____

8 Concentra-se em desenvolver os pontos fortes das pessoas em vez de corrigir as suas fraquezas. _____

9 Incentiva as pessoas a falarem das suas necessidades de formação e de desenvolvimento e apoia activamente o seu enriquecimento pessoal. _____

10 Vê os colaboradores como um investimento em capital intelectual e procura constantemente formas de aumentar esse capital. _____

Um dos aspectos mais importantes de que estamos a tratar neste livro é o líder como agente da mudança. Sendo assim, é importante que tentemos agora obter alguma forma de avaliação sobre como essa competência é revelada pelo líder. Pontue-se a si próprio com um máximo de 10 pontos por cada um dos itens enunciados no Quadro 8.7a.

QUADRO 8.7A ACTUAR COMO AGENTE DA MUDANÇA – AUTO-PERCEPÇÃO

1 Aquando da implementação de uma mudança, certifico-me sempre de que todos compreenderam as razões que estão por detrás da mudança. _____

2 Compreendo que os indivíduos reajam de forma diferente à mudança e tomo essas diferenças em consideração na forma como implemento a mudança. _____

3 Estou constantemente à procura de novas formas de melhorar o modo como actuamos. _____

4 Sou mais proactivo do que reactivo no que diz respeito a lidar com mudanças externas que afectam a organização. _____

5 Vejo a mudança como um desafio empolgante, em vez de uma ameaça ao *status quo*. _____

6 Tento gerir o volume de mudança com o qual temos de lidar de forma a não sobrecarregar as pessoas nem debilitar a sua confiança. _____

7 Não receio desafiar 'vacas sagradas' na organização. _____

8 Compreendo que a mudança frequentemente crie vencedores e vencidos e tenho um cuidado especial para que os vencidos tenham acompanhamento. _____

9 Garanto que a mudança é levada a cabo por razões sólidas e não por uma questão de aparências. _____

10 Dou sempre oportunidade aos meus colaboradores de discutirem as suas ideias em relação a uma mudança iminente. _____

Analisemos agora a percepção que as outras pessoas têm do líder enquanto agente da mudança. Atribua a................................. (nome do líder em questão) um máximo de 10 pontos por cada um dos itens listados no Quadro 8.7b.

QUADRO 8.7B ACTUAR COMO AGENTE DA MUDANÇA – PERCEPÇÃO DOS OUTROS

1 Aquando da implementação de uma mudança, certifica-se sempre que todos compreenderam as razões que estão por detrás da mesma. _____

2 Parece compreender que os indivíduos reajam de forma diferente à mudança e toma essas diferenças em consideração na forma como implementa a mudança.

, 3 Está constantemente à procura de novas formas de melhorar o modo como actua. _____

4 É mais proactivo do que reactivo no que diz respeito a lidar com mudanças externas que afectam a organização. _____

5 Vê a mudança como um desafio empolgante em vez de uma ameaça ao *status quo*. _____

6 Tenta gerir o volume de mudança com o qual temos de lidar, de forma a não sobrecarregar as pessoas nem debilitar a sua confiança. _____

7 Não receia desafiar 'vacas sagradas' na organização. _____

8 Compreende que a mudança frequentemente crie vencedores e vencidos e tem um cuidado especial para que os vencidos tenham acompanhamento. _____

9 Garante que a mudança é levada a cabo por razões sólidas e não por uma questão de aparências. _____

10 Dá sempre oportunidade aos colaboradores de discutirem as suas ideias em relação a uma mudança iminente. _____

A nossa última área de competência diz respeito às decisões e actuação em tempos de crise e incerteza. Em muitos aspectos, sentimos que esta é uma área omitida por muitos dos modelos de liderança estabelecidos, e, no entanto, na nossa perspectiva, é talvez um dos mais importantes pontos da liderança eficaz. Podemos investigar este aspecto da capacidade de liderança com dez assuntos relevantes e com as outras áreas de competência (ver Quadro 8.8a).

QUADRO 8.8A ACTUAÇÃO EM TEMPOS DE CRISE OU INCERTEZA – AUTO-PERCEPÇÃO

1 Mantenho sempre a cabeça fria em momentos de crise. _____

2 Encaro as situações em que há 'problemas difíceis' como empolgantes e como fontes de aprendizágem.

3 Utilizo uma abordagem sistemática para resolver problemas quando estou sob pressão. _____

4 Se possível, numa situação de crise tento delegar os detalhes de pormenor e concentro-me na perspectiva geral da situação. _____

5 As pessoas esperam que eu consiga solucionar as situações em alturas de dificuldade. _____

6 Em situações de incerteza, centro-me sempre nos aspectos importantes e actuo de acordo com os meus valores. _____

7 Tento minimizar a incerteza sempre que possível. _____

8 Sob pressão, considero mais fácil concentrar-me simultaneamente nos detalhes e na imagem geral daquilo que está a acontecer. _____

9 Oiço sempre as opiniões das outras pessoas em situações de crise e nunca rejeito nova informação só porque pode não se ajustar às minhas ideias. _____

10 Não sou propenso a criar pânico, nem em mim nem nos outros. _____

E agora podemos adaptar os itens deste questionário para que as outras pessoas dêem as suas opiniões (ver Quadro 8.8b). Pense como .... (nome do líder em questão) se comporta em situações de crise ou de incerteza e atribua até um máximo de 10 pontos por cada item enunciado no quadro.

QUADRO 8.8B ACTUAÇÃO EM TEMPOS DE CRISE OU INCERTEZA – PERCEPÇÃO DOS OUTROS

1 Mantém sempre a cabeça fria em momentos de crise. _____

2 Encara as situações em que há 'problemas difíceis' como empolgantes e como fontes de aprendizagem. _____

3 Utiliza uma abordagem sistemática para resolver problemas quando está sob pressão. _____

4 Se possível, numa situação de crise tenta delegar os aspectos de pormenor e concentra-se na perspectiva geral da situação. _____

5 As pessoas esperam que ele consiga solucionar as situações em alturas de dificuldade. _____

6 Em situações de incerteza, centra-se sempre nos aspectos importantes e actua de acordo com os seus valores. _____

7 Tenta minimizar a incerteza sempre que possível. _____

8 Sob pressão, parece concentrar-se simultaneamente nos detalhes e na imagem geral daquilo que está a acontecer. _____

9 Ouve sempre as opiniões das outras pessoas em situações de crise e nunca rejeita nova informação só porque pode não se ajustar às suas ideias. _____

10 Não é propenso a criar pânico, nem nele nem nos outros. _____

Com estas sete áreas de competência, cada uma delas analisada com dez questões, criámos uma metodologia abrangente para considerar a capacidade de liderança tanto numa base pessoal como para obter *feedback* dos outros. O problema desta abordagem, à semelhança do que sucede com muitos questionários, é o tempo que demora responder às perguntas. Tivemos este facto em consideração na abordagem seguinte para avaliar o desempenho da liderança.

Até agora, trabalhámos o conjunto de base das sete competências e explorámo-

-las com algum detalhe. Alargámo-las a um questionário com quinze itens, com uma imagem gráfica, para analisarmos as diferenças de percepção entre a forma como um líder pensa que está a actuar e a forma como essa actuação é interpretada pelas outras pessoas, pares e superiores, dentro da estrutura organizacional. O questionário com 15 itens é, em determinados aspectos, uma ferramenta mais prática do que a versão completa que acabámos de discutir, uma vez que envolve 15 perguntas em vez de 70. O que se perdeu em termos de informação é facilmente compensado pela vontade para completar um questionário mais pequeno!

O questionário consta do Apêndice I, tanto em formato da auto-avaliação como em formato da avaliação feita pelos outros.

O Questionário 1 pega nos quinze tópicos da competência e cria uma ferramenta de auto-avaliação. O Questionário 2 representa a forma como o líder é avaliado pelos colegas. Se estiver a ser utilizada uma verdadeira avaliação de 360º, o que se entende por colegas deveriam ser o indivíduo a quem o líder reporta, pelo menos um dos seus pares, ao mesmo nível na organização, e depois vários indivíduos que reportem directamente ao líder.

Se bem que haja muitas maneiras de representar graficamente os dados, uma das mais úteis é utilizar um diagrama bidimensional com uma escala 1:10 no eixo vertical e os quinze tópicos a pontuar no eixo horizontal. A folha de gráfico mostra como é que se pode fazer isso. A própria pontuação do líder poderá ser então sinalizada com um X, enquanto que a pontuação dos colegas pode assumir a forma de números de código, dispostos por cores para estabelecer a diferença entre pares, superiores e posições subordinadas na organização. Esta forma muito simples de representar graficamente os dados dará ao líder uma percepção imediata da forma como entende que o seu comportamento é interpretado. Por exemplo, não é raro acontecer um líder atribuir a si mesmo uma pontuação alta com, digamos, 7 ou 8 no item 2, ao passo que os subordinados lhe dão apenas 2 ou 3 pontos em 10. Como já foi muitas vezes referido, o resultado da comunicação é a resposta que se obtém e não aquilo que se pretende comunicar!

Esta ferramenta constitui uma forma gráfica de avaliar a liderança e pode ser a base para um debate aberto que permitirá ao líder desenvolver um relacionamento mais eficaz com as pessoas pelas quais é responsável.

O Perfil de Categoria Internacional

Depois de analisada a ideia da actividade básica da liderança, importa agora analisar uma visão organizacional típica que um líder de negócios pode criar. Se essa visão for criar excelência organizacional, então o Perfil de Categoria Internacional é uma forma útil para obter quer um retrato instantâneo de como a organização é vista, quer uma indicação grosseira das tendências de avanço da organização (se avança, se está estática ou a retroceder). No Capítulo II, demos a conhecer o Perfil Internacional básico.

Se analisarmos agora não apenas as dez características da organização de Perfil Internacional mas também o impacto de criar esses factores, podemos desenvolver esta abordagem um pouco mais e chegar a uma forma bastante útil de avaliar o sucesso de um líder.

Podemos alargar os Factores de Categoria Internacional básicos encaixando-os em três categorias:

→ factores do negócio
→ factores de relação
→ factores emocionais

O que estamos a fazer é reflectir a ideia de tarefa, de equipa e de actuação individual do líder e alargar essa percepção de forma a incluir factores financeiros, aspectos emocionais e relacionamentos, tanto internos como externos. Quando agrupamos os factores básicos e os expandimos, chegamos às seguintes sugestões para as características organizacionais a que chamaremos 'Para lá da Categoria Internacional'. Estes factores são os seguintes:

Factores do negócio

→ enfoque estratégico
→ competência financeira
→ sensibilidade ao ambiente global
→ qualidade dos processos internos e melhorias contínuas
→ aceitar e gerir a mudança
→ a utilização eficaz de tecnologia para operações e gestão da informação (*knowledge management*)

Factores de relação

→ gestão do relacionamento entre o consumidor e o cliente
→ eficácia da comunicação interna em todas as direcções

→ trabalho eficaz entre funções
→ criação de equipas eficazes que aprendem em conjunto
→ pensar sobre o processo de negócio total e não numa função específica de alguém
→ lidar eficazmente com todas as partes interessadas

Factores emocionais

→ criação de um sentido de liderança inspiracional
→ incentivo à inovação e criatividade
→ desenvolvimento das pessoas a todos os níveis
→ encorajar convicções e atitudes positivas
→ vivência diária dos valores organizacionais estabelecidos
→ criação de um ambiente em que as pessoas retiram real prazer do seu trabalho

Estes dezoito factores conduzem-nos a uma avaliação global da cultura da organização. A cultura é definida de muitas formas, mas uma das definições mais úteis é a que a vê como um reflexo da forma como o trabalho e outros assuntos são tratados na organização, exemplificado pelos tipos de comportamento que são encorajados e recompensados. O comportamento do líder é particularmente importante neste aspecto, uma vez que as pessoas tendem a copiar o que vêem, em vez de fazerem aquilo que lhes é dito.

O que estamos agora a fazer é explorar o modelo compósito de liderança, que relaciona estratégia, operações e liderança de equipa ou da linha da frente com a cultura da organização. Por conseguinte, o questionário do Apêndice II relaciona o que está para além da cultura da Categoria Internacional, na medida em que explora a eficácia da liderança quando promove uma cultura que sustenta a integração dos três níveis de liderança.

Depois de termos explorado a cultura das organizações, estamos agora em posição para sugerir uma ferramenta alargada de avaliação da liderança que analisa os processos estratégico, operacional e da linha da frente. Esta ferramenta pode ser de grande valor ao facultar uma visão mais aprofundada sobre os desafios da liderança numa determinada organização. Nalguns aspectos, a ideia é semelhante à que foi proposta por Kaplan e por Norton com o seu *Balanced Scorecard*. O que é interessante sobre o *Balanced Scorecard* é que sugere que um desempenho organizacional não deve ser avaliado simplesmente por indicadores financeiros, mas que um conjunto de medidas (como as percepções do cliente, processos internos e a evolução do crescimento e da inovação da organização) devem ter tidas em conta, lado a lado com o desempenho financeiro.

O princípio do *Balanced Scorecard* começa com a criação de uma visão que é, por si mesma, uma função de liderança primordial. A visão conduz então à criação de um conjunto de estratégias agrupadas em quatro grupos: finanças, clientes, processos internos e crescimento/inovação. O sucesso em cada um destes grupo é então determinado pelo desempenho, como se pode ver num conjunto de indicadores-chave de desempenho (*Key Performance Indicators*–KPI). Estes KPI são criados para cada negócio individual e conduzem a um perfil de desempenho eficaz fortemente desenhado à medida da empresa. Assim, reflectem processos de liderança bem sucedidos, traduzidos dos níveis estratégico para o operacional e depois para o da linha da frente.

Da criação de uma abordagem *Balanced Scorecard* para a avaliação da liderança

Podemos começar por avaliar o desempenho de liderança individual face ao sucesso de uma organização através de variadas formas. Por exemplo, a abordagem seguida no Quadro 8.9 começa com a ideia de que o sucesso organizacional tem a ver com uma série de aspectos, quer sérios quer mais ligeiros. Não se trata apenas de números, mas também dos aspectos humano e emocional. Convém agrupar estes aspectos em quatro áreas distintas para nos permitirem criar uma abordagem de *scorecard* (cartão de resultados).

Estas áreas são: estratégia, criação de cultura, impacto na linha da frente e actuação em situações de crise e incerteza; e conduzem-nos à ideia de criar quatro cartões de resultados.

1 Escolha os elementos de estratégia e planeie o que acredita serem os mais cruciais para um funcionamento bem sucedido da SUA organização.
2 Pense na cultura da organização que está a criar. Como quer que a SUA organização seja em termos de enfoque e comportamento diários?
3 Quais são as medidas da linha da frente na SUA organização que vão demonstrar que a sua liderança foi eficaz?
4 Como é que as crises e as incertezas são tratadas na SUA organização? Há plano de contingência ou prevalece o ambiente de pânico?

A criação de um conjunto de cartões de resultados para a liderança está intimamente associada a determinada organização. Mais especificamente, o intuito estratégico, a afirmação de uma visão, a cultura e os valores operacionais são a chave para a criação de cartões de resultados bem sucedidos e estes têm de levar em consideração a situação específica da organização em questão.

QUADRO 8.9 EM BUSCA DE UM CARTÃO DE RESULTADOS PARA A LIDERANÇA

UMA ABORDAGEM A EXPLORAR COM O OBJECTIVO DE DESENVOLVER UMA LIDERANÇA
EFICAZ DA MUDANÇA NA ORGANIZAÇÃO

Como é que responderia às seguintes questões?	SIM	EM PARTE	NÃO
Há uma visão clara do futuro que é partilhada pela equipa de topo da organização e que foi traduzida para uma forma em que toda a gente na organização pode aceitá-la?	☐	☐	☐
Essa visão foi traduzida em estratégias claramente definidas, com cada objectivo e alvo definidos em termos SMART, ou seja, mensuráveis, alcançáveis, realistas e delimitados no tempo?	☐	☐	☐
Há estratégias bem definidas para as funções financeiras da organização?	☐	☐	☐
Há estratégias bem definidas para o desenvolvimento das relações entre a organização e os seus clientes, empregados, accionistas,fornecedores e outras partes interessadas?	☐	☐	☐
Há estratégias claras para a melhoria contínua da forma comoo negócio lida com os seus processos internos?	☐	☐	☐
Há uma estratégia clara para o desenvolvimento do trabalho de equipa eficaz em toda a organização?	☐	☐	☐
Há uma estratégia clara para o desenvolvimento da base do conhecimento intelectual da organização, através do enriquecimento pessoal dos indivíduos em toda a organização?	☐	☐	☐
Há uma estratégia para o desenvolvimento da criatividade e da inovação por toda a organização?	☐	☐	☐
A tecnologia é utilizada da melhor forma na organização em termos de desenvolvimento, tanto das operações como da base do conhecimento da organização?	☐	☐	☐

Sumário

A liderança e a mudança são, em muitos aspectos, sinónimos. A liderança implica direcção e progresso ao encontro de uma visão. O desafio consiste em saber como mobilizar os corações e mentes dos seguidores para permitir que o processo ocorra eficazmente. Ao mesmo tempo, as contribuições dos seguidores para o desenvolvimento do processo precisam de ser conhecidas.

Dissemos anteriormente neste livro que a Liderança eficaz da Mudança assenta em cinco aspectos-chave: criar compreensão, comunicar as razões para a mudança, libertar o potencial das pessoas, estabelecer um exemplo pessoal e ritmo próprio. Analisámos também os Motores da Mudança, bem como a forma de desenvolver estratégias eficazes de mudança. Tudo isto foi estabelecido tendo como pano de fundo os pontos de vista de outras pessoas quanto ao que significa criar liderança eficaz num ambiente em constante mudança. Alguns desses pensamentos provêm de comentadores e académicos e outros de profissionais que aprenderam a sua arte às suas próprias custas. A característica fundamental comum a todos eles é que todos pensaram profundamente na liderança da mudança. Aplicaram o seu intelecto.

Neste capítulo final, sugerimos inúmeras formas de avaliar o sucesso da liderança, tanto em termos qualitativos como quantitativos. Ao fazê-lo, reconhecemos que, tal como qualquer outra competência, a liderança precisa de ser avaliada através de critérios objectivos, em termos que são familiares para as organizações – daí a ideia de Competências de Liderança e de um Cartão de Resultados da Liderança, bem como de 'Factores de Categoria Internacional'. Esta avaliação concentrou-se nas três áreas operacionais primordiais: os aspectos do negócio e operacionais, os aspectos de relação e os aspectos emocionais ao nível individual.

Criar paixão pela mudança através da Liderança Inteligente é trabalhar nestas três áreas em simultâneo.

Apêndice I

Avaliação de 360° da liderança

ESTA AVALIAÇÃO É FEITA COM BASE NAS SETE COMPETÊNCIAS DA LIDERANÇA PUBLICADAS EM *THE BUSINESS OF LEADERSHIP* (Hooper e Potter, Ashgate 1997)

© ALAN HOPPER E JOHN POTTER MARÇO 1999

Instruções para a realização

Para cada uma das quinze acções de liderança enunciadas no Questionário 1, atribua uma nota de um a dez e depois some os resultados de forma a obter um valor até 150.

Depois faça várias cópias do Questionário 2 e distribua ao seu chefe, a pelo menos uma pessoa no mesmo nível que o seu dentro da organização e a pelo menos três subordinados.

Em seguida escreva os resultados na grelha que fornecemos. Utilize um X para marcar a classificação que atribuiu às suas acções e um número dentro de um círculo para assinalar os resultados que as outras pessoas lhe atribuíram. Poderá querer codificar a contagem dos seus colegas, a vermelho para o seu chefe, a azul para os colegas no mesmo nível e verde para os seus subordinados.

As diferenças de como vê a sua actuação enquanto líder em relação à forma como os outros o vêem são, então, claramente identificadas e podem constituir as bases para a discussão.

Tente identificar temas onde existam grandes diferenças entre a sua percepção de como actua e as percepções dos seus colegas. Verifique também se tem tendência para sobrestimar ou subestimar os seus desempenhos em relação à forma como os outros o vêem.

O que pode fazer, agora, de forma diferente para melhorar o seu desempenho enquanto líder?

QUESTIONÁRIO 1

AVALIAÇÃO DE 360 GRAUS DA LIDERANÇA COM BASE NAS SETE COMPETÊNCIAS DA LIDERANÇA (AUTO-AVALIAÇÃO)

Até que ponto pensa que é eficaz nas seguintes acções de liderança nas suas actuações diárias?

Atribua uma nota até dez para cada uma das seguintes questões:

1 Tenho uma visão clara do futuro, uma estratégia para tornar essa visão uma realidade e um conjunto de valores do que é importante em relação à forma como operamos. _____

2 Comunico a minha visão, missão e valores de forma eficaz à minha equipa. _____

3 Dou um bom exemplo na forma como actuo diariamente no que se refere à gestão do tempo. _____

4 Concentro-me nas prioridades e comunico devidamente essas prioridades à minha equipa. _____

5 Lido bem com a pressão. _____

6 Lido educada e eficazmente com os clientes, tanto internos como externos. _____

7 Comunico eficazmente com o meu pessoal. _____

8 Informo com regularidade a minha equipa sobre o que se está a passar no negócio. _____

9 Incentivo regularmente a equipa para que todos estejam empenhados no negócio, de forma a torná-lo bem sucedido. _____

10 Criei um plano para cada pessoa da minha equipa desenvolver o conhecimento, capacidades, atitudes e competências de que necessitam para trabalhar eficazmente tanto agora como no futuro. _____

11 Procuro activamente um programa de contínua melhoria de desempenho para identificar melhores formas de fazer as coisas. _____

12 Sigo sempre boas ideias para a mudança. _____

13 Reajo bem em situações de crise. _____

14 Pergunto sempre a opinião de outros antes de tomar grandes decisões. _____

15 Ouço sempre os pontos de vista das outras pessoas. _____

RESULTADO FINAL (MÁXIMO 150) _____

QUESTIONÁRIO 2

AVALIAÇÃO DE 360 GRAUS DA LIDERANÇA COM BASE NAS SETE COMPETÊNCIAS DA LIDE-
RANÇA (AVALIAÇÃO DE OUTROS INDIVÍDUOS)

Até que ponto pensa que .... (nome do líder em questão) é eficaz
nas seguintes acções de liderança na sua actuação diária?

Atribua à pessoa uma nota até dez para cada uma das seguintes questões:

1   Tem uma visão clara do futuro, uma estratégia para tornar essa
    visão uma realidade e um conjunto de valores do que é
    importante em relação à forma como opera.   _____

2   Comunica a sua visão, missão e valores de forma eficaz à equipa. _____

3   Dá um bom exemplo na forma como actua diariamente no que se
    refere à gestão do tempo.   _____

4   Concentra-se nas prioridades e comunica devidamente essas
    prioridades à equipa.   _____

5   Lida bem com a pressão.   _____

6   Lida educada e eficazmente com os clientes, tanto internos como
    externos.   _____

7   Comunica eficazmente com o pessoal.   _____

8   Informa com regularidade a equipa sobre o que se está a passar
    no negócio.   _____

9   Incentiva regularmente a equipa para que todos estejam
    empenhados no negócio, de forma a torná-lo bem sucedido.   _____

10 Criou um plano para que cada pessoa da equipa desenvolva o
    conhecimento, capacidades, atitudes e competências de que
    necessita para trabalhar eficazmente tanto agora como no futuro. _____

11 Procura activamente um programa de contínua melhoria de
    desempenho para identificar melhores formas de fazer as coisas. _____

12 Segue sempre boas ideias para a mudança.   _____

13 Reage bem em situações de crise.   _____

14 Pergunta sempre a opinião de outros antes de tomar grandes
    decisões.   _____

15 Ouve sempre os pontos de vista das outras pessoas.   _____

    RESULTADO FINAL (MÁXIMO 150)   _____

GRÁFICO DE ANÁLISE DAS ACÇÕES DE LIDERANÇA

(utilize o seu próprio sistema de código de cores)

= Próprio

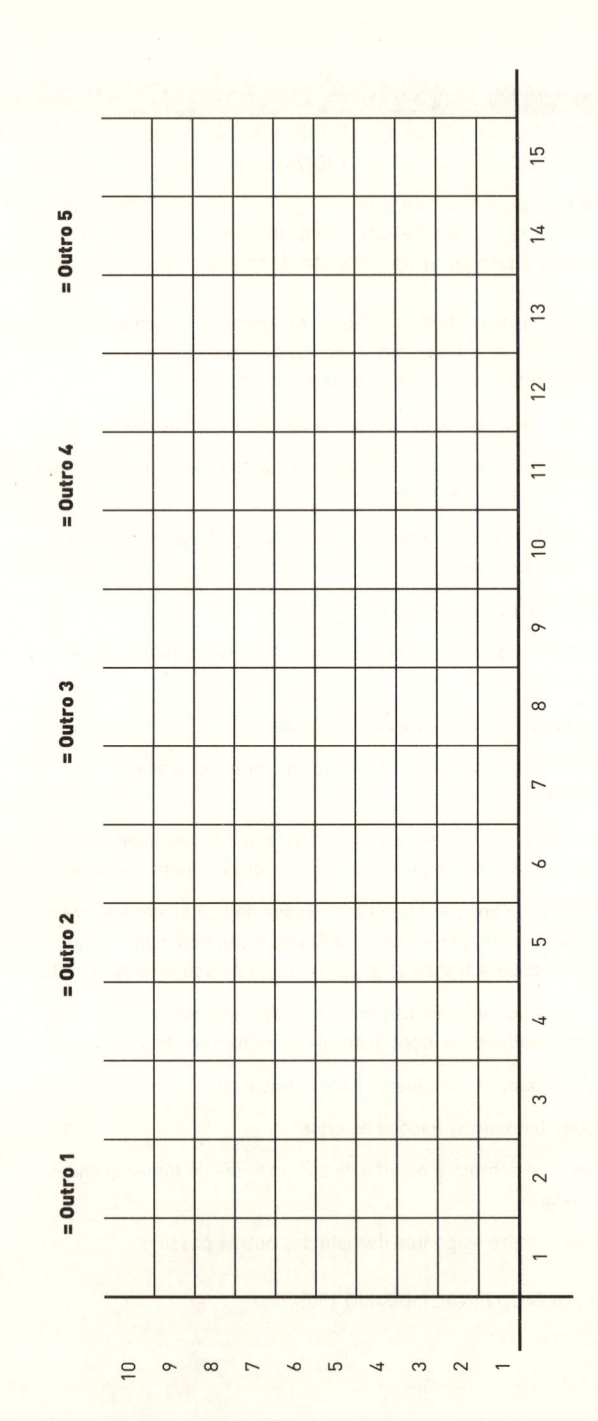

Apêndice II

Para lá da Categoria Internacional: análise de uma cultura de empresa facilitadora

PRIMEIRA PARTE – FACTORES DO NEGÓCIO

	SIM	EM PARTE	NÃO
Tem uma estratégia claramente definida focalizada no seu negócio?	☐	☐	☐
Está bem organizado em termos financeiros, tanto na gestão diária dos procedimentos como na estratégia financeira de longo prazo?	☐	☐	☐
Monitoriza as mudanças no ambiente no qual o seu negócio actua?	☐	☐	☐
Os seus processos internos são revistos e actualizados constantemente?	☐	☐	☐
A organização agarra activamente o desafio da mudança e ultrapassa as resistências?	☐	☐	☐
É encorajada a utilização de tecnologia para melhorias operacionais e gestão de conhecimento?	☐	☐	☐

Dê três pontos a cada SIM, um aos EM PARTE
e zero a cada NÃO.

TOTAL PARA OS FACTORES DO NEGÓCIO   _____
Resultado Máximo 18

SEGUNDA PARTE – FACTORES DE RELAÇÃO

	SIM	EM PARTE	NÃO
A organização trabalha arduamente para mostrar aos clientes que valoriza o seu negócio?	☐	☐	☐
O processo de comunicação interno dentro da organização é completamente eficaz?	☐	☐	☐
As equipas com funções cruzadas operam em conjunto eficazmente?	☐	☐	☐
As equipas são encorajadas a aprender em conjunto, tanto no trabalho como em actividades de fortalecimento de equipa fora da empresa?	☐	☐	☐
As pessoas pensam em como afectam outros na organização se fizerem uma mudança na forma como trabalham?	☐	☐	☐
Os pontos de vista de todas as partes envolvidas, como empregados, accionistas, clientes, fornecedores e a comunidade local são tidos em conta no momento de tomar grandes decisões que podem afectá-los?	☐	☐	☐

Dê três pontos a cada SIM, um aos EM PARTE
e zero a cada NÃO.

TOTAL PARA OS FACTORES DE RELAÇÃO   _____
Resultado máximo 18

TERCEIRA PARTE – FACTORES EMOCIONAIS

	SIM	EM PARTE	NÃO
As pessoas na organização sentem-se inspiradas pela liderança de topo?	☐	☐	☐
A inovação e a criatividade são encorajadas pela organização para que as pessoas não se sintam assustadas em experimentar e assumir riscos apropriados?	☐	☐	☐
É desenvolvido algum esforço na criação e desenvolvimento de planos para as pessoas a todos os níveis da organização?	☐	☐	☐
As pessoas falam da organização de forma positiva e exibem elevados níveis de motivação?	☐	☐	☐
A liderança actua diariamente de forma a reflectir os valores defendidos pela organização?	☐	☐	☐
As pessoas gostam da organização e divertem-se a trabalhar para ela?	☐	☐	☐

Dê três pontos a cada SIM, um aos EM PARTE
e zero a cada NÃO.

TOTAL PARA OS FACTORES EMOCIONAIS   ————————
Resultado máximo 18

Some os resultados das caixas e verifique qual é o mais forte e qual o mais fraco.
O resultado mais baixo aponta a área que deve receber mais atenção para criar uma
mudança favorável a uma cultura positiva.

O resultado máximo possível é de 54 pontos
Os resultados acima de 45 são bons
Um resultado abaixo de 20 requer algumas considerações sérias sobre como melhorar
a cultura da organização.

LISTA DE FIGURAS

LISTA DE QUADROS

BIBLIOGRAFIA

Adair, J. *Effective Leadership*, Gower 1983

Adair, J. *Training for Leadership*, Gower 1988

Adair, J. *Great Leaders*, Talbot Adair Press 1989

Bass, B.M. and Avos, B.J. 'Developing Transformational Leadership – 1992 and beyond',
Journal of European Training, vol. 14, nº5, pp21-7

Bass, B.M. and Stogdill, R.M. *Handbook of Leadership*, New York: The Free Press 1990

Bennis, W. and Nanus, B. *Leaders*, Harper & Row 1985

Bennis, W. *On Becoming a Leader*, Arrow 1989

Blanchard, K and Hersey, P. *Organisational Behaviour*, Prentice-Hall 1969

Carnall, C. *Managing Change in Organisations*, Prentice-Hall 1990

Carlzon, J. *Moments of Truth*, HarperCollins 1987

Collins, J. 'Turning Goals into Results', *Harvard Business Review*, Julho-Agosto 1999

Conger, J. 'The Necessary Art of Persuasion', *Harvard Business Review*, Maio-Junho 1988

Dixon, N. *On the Psychology of Military Incompetence*, Jonathan Cape 1976

Edvinsson L.&Malone, M.S. *Intellectual Capital*, Piatkus 1997

Fiedler, F. et al *Improving Leadership Effectiveness*, Wiley 1976

Festinger, L. *A Theory of Cognitive Dissonance*, Row Petersen 1957

Garrat, R. *The Fish Rots from the Head*, HarperCollins 1996

Geus, A. de *The Living Company*, Nicholas Brealey 1999

Goldsmith, W. & Clutterbuck, D. *The Winning Streak*, Penguin 1984

Goleman, D. *Emotional Intelligence*, Bloomsbury 1996
(*Inteligência Emocional*, Ed. Temas e Debates)

Goleman, D. *Working with Emotional Intelligence*, Bloomsbury 1998
(*Trabalhar com inteligência emocional*, Temas e Debates)

Hamel, G.&Prahalad, C.K. *Competing for the Future*, Harvard Press 1994

Hamel, G. 'Strategy Innovation & the Quest for Value', *Sloan Management Review*, vol39,
nº2, Inverno 1998

Hammer, M. & Champy, J. *Re-engineering the Corporation*, Nicholas Brealey 1993

Handy, C. *The Gods of Management*, Souvenir Press 1998
(*Deuses da Gestão*, CETOP)

Handy, C. *The Empty Raincoat*, Hutchinson 1994
(*A Era do Paradoxo*, CETOP)

Handy, C. *Beyond Certainty*, Arrow Business Books 1996
(*A Era da Irracionalidade*, CETOP)

Hartley, N. *Towards a New Definition of Work*, RSA London 1996

Henley Centre, The *2020 Vision*, Barclays Life 1998

Hooper, A. and Potter,J. *The Business of Leadership*, Ashgate 1997

Institute of Directors, London *Sign of the Times*, IOD London 1996

Kakabadse, A. and Kakabadse, N. *Essence of Leadership*, ITP 1999

Kaplan, R. & Norton, P. 'Putting the Balanced Scorecard to Work', *Harvard Business Review*, Setembro-Outubro 1993

Kare-Silver, M. De *Strategy in Crisis*, Macmillan 1997

Katzenbach, J. et al. 'The Myth of the Top Management Team', *Harvard Business Review*, Novembro-Dezembro 1993

Katzenbach, J. et al *Real Change Leaders*, Nicholas Brealey 1996

Katzenbach, J. & Santamaria J.A. 'Firing up the Front Line', *Harvard Business Review*, Maio-Junho 1999

Kotter, J. *A Force for Change*, The Free Press 1990

Mant, A. *Intelligent Leadership*, Allen & Unwin 1997

Mintzberg, H. & Lampel,J. 'Reflecting on the Strategy Process', *Sloan Management Review*, vol. 40, n°3, Primavera 1999

Moss Kanter, R. *The Change Masters*, Unwin 1988

Moss Kanter, R. *When Giants Learn to Dance*, Routledge 1989

O'Connor, J. E Seymour, J. *Introducing NLP*, Mandala 1990

Pedler, M. Et al. *The Learning Company*, McGraw-Hill 1991

Peters, T.J. e Waterman, R. *In Search of Excellence*, Harper and Row 1982 (*Na Senda da Excelência*, Publicações Dom Quixote)

Peters. T.J. *Thriving on Caos*, Pan Books 1987

Platt, R. *Managing Change and Making it Stick*, Fontana-Collins 1987

Pritchett, Price *New Work Habits*, Pritchett & Associates 1994

Pritchett, Price & Pound, R. *A Survival Guide to the Stress of Organisational Change*, Pritchett & Associates 1995

Rogers, C. *On Becoming a Person*, Constable 1967

Ryback, D. *Putting Emotional Intelligence to Work*, Butterworth-Heinemann 1998

Sadler, P. *Leadership*, Kogan Page 1997

Scott, C.D. & Jaffe, D.T. *Managing Organisational Change*, Kogan Page 1989

Schein, E.H. *Organisational Culture and Leadership*, Jossey-Bass 1992

Senge, P. *The Fifth Discipline*, Century Business 1990

Senge, P. et al. *The Fifth Discipline Fieldbook*, Nicholas Brealey 1994

Senge, P. et al. *The Dance of Change*, Nicholas Brealey 1999

Simons, R. & Davis, A. 'How High is your Return on Management?', *Harvard Business Review*, Janeiro-Fevereiro 1998

Stogdill, R. *Handbook of Leadership*, Macmillan 1974

ÍNDICE REMISSIVO